Bolle buiken

BOLLE BUIKEN

De mooiste verhalen over de zwangerschap

NOVELLA UITGEVERIJ
Amersfoort 1994

1e druk: mei 1994
2e druk: september 1995
3e druk: augustus 1996
4e druk: maart 1997

ISBN 90 6806 154 2

Inhoud

Gertie Evenhuis

Brief aan mijn dochtertje

De boot naar Engeland maakte los. De kabelstrengen, losgesmeten, verdwenen in het schip. Water, steeds grotere stukken water, tussen jou en mij. Scheepslengte na scheepslengte verwijderde hij zich, met jou aan boord, blond haar om rond gezichtje, aarzelend geheven hand, en blauwe spijkerbroek. Het schip werd kleiner, het water groter, en jij was weg, voor 't eerst écht weg, hoe vaak je ook vertrokken was en thuisgekomen. En op dat ogenblik van plotseling verbreken, afzonderlijk verder gaan, voelde ik een eigenaardig samentrekken van mijn ingewanden, zoals de joden dat in hun taal zeggen als ze een heftige emotie bedoelen. Waar en wanneer had ik dat nóg eens precies zó meegemaakt? Die schok met geen verweer, omdat het ging zoals het gaan moest? Had ik niet zelf gewild dat je na een vroeg eindexamen een jaar weg zou gaan? Had ik niet precies hetzelfde gedaan toen ik zeventien was, ik naar een oud kasteel in Devon, jij naar je Follyfoot in Dorset? Dat klopte toch allemaal prima? Zoals het ook geklopt had dat men de navelstreng tussen jou en mij doorsneed toen je net was geboren. Zo moet dat gaan. Toen had ik mij niet geschaamd voor mijn tranen: je schaamt je ook niet voor je lach. Nú frutselde ik aan mijn zonnebril, want niemand hoefde te zien dat ik daar aan die kade stond te janken. Uit precies dezelfde emotie van toen. Die losgesmeten tros had zeventien jaar in mijn gezicht teruggeslingerd. Over het beeld van die onduidelijke witte boot op het gapende water schoof dat van een klein lijfje, uit mijn lijf aan het licht gekomen en weggedragen. Dat ogenblik van protesterende treurigheid is niet goed te beschrijven, want je moet verheugd zijn en je bent het ook. Maar ik dacht, aan die kade: O God, daar gaat ze, en ik heb haar nog niet de helft verteld, gehoord, gegeven.

Later, toen ik je brieven schreef naar Engeland, heb ik gedacht: Ik moet haar toch eens schrijven hoe dat was, toen ze geboren werd, en ook daarvóór. Maar de echte dingen zijn zo moeilijk te verwoorden.

'Waar was ik vóór ik werd geboren?' Dat heb je vaak gevraagd. Het antwoord lijkt eenvoudig: 'In mijn buik,' en dat zei ik ook, want verhalen over kolen en ooievaars zijn in onze familie nooit opgedist. Maar ook dat antwoord is te eenvoudig, het gaat niet ver genoeg. Omdat je al in mijn gedachten was lang vóór ik met Wim was getrouwd en ik nog niets had om een klein kind te verwelkomen. Ik heb ooit in de memoires van Kaj Munk (Deens predikant en dichter, door de Duitsers doodgeschoten) gelezen over 't allereerste dat hij zichzelf herinnert: dat hij in een klein holletje lag, zijn hoofd omlaag, waar het zo warm was dat hij er bijna van moest kreunen, en af en toe spartelde. Dan kalmeerde zijn moeder hem in haar Låålandse taaltje en ze praatte over hem tegen zijn vader, en hoe hij eruit zou zien en hij daarbinnen barstte bijna van nieuwsgierigheid hoe die twee buiten, die zoveel belang in hem stelden, er uit zouden zien.

Het is innig geschreven, dat boek. 't Is wel een tijd geleden. Ook ben ik niet dáárom alleen met Wim getrouwd. Ik wist niet eens of ik kinderen zou kunnen krijgen! (Dat kun je beter tevoren laten uitzoeken, ja zeker. Maar was ik dan soms niét met hem getrouwd? Nou dan.)

Heel duidelijk herinner ik mij die middag dat ik, in Groningen op kamers, in mijn vensterbank zat, bezig met mijn studie Nederlands, Wim met een Hebreeuwse tekst waaruit hij af en toe fragmenten voorlas, en dat ik dacht: Als ik later een dochter krijg, moet ze Alma heten, het is Hebreeuws voor: jonge dochter, meisje. Zo was je naam er lang vóór jou. Nu zouden we, Nederlands en theologie ten spijt, misschien al aan jou zijn begonnen, tóén maakte je braaf je studie af.

Ik was toen lerares aan een meisjesschool in Den Haag. Daar bleef ik, tot jij van binnen al zes maanden was. Toen ik ophield met lesgeven ben ik gaan schrijven en nu doe ik beide. Ik vertel het je maar, omdat het nu bijna burgerlijk wordt gevonden als werkende vrouwen (carrièrevrouwen) ook een kind willen.

Hoe voelde ik me toen ik zwanger was?

Eerst: Geweldig. Toen: geweldig bang. Hoe zou dat moeten gaan? Een boek produceren is één ding. Een schepsel produceren, deel van een ander wezen, dat is iets anders. De kleinigheden (want ik ben ijdel als iedereen): ik zou er bespottelijk uit gaan zien, uitzakken (ik keek op straat natuurlijk alleen naar dikke dames). Van de arts die de zwangerschap bevestigde vernemen dat mijn bekken wat nauw was en moeilijkheden zou kunnen opleveren. Daarover in paniek raken, want jij weet hoe ik ben, bang om niks. Je bent trouwens best door dat bekken gekomen, die man had ook kunnen wachten tot 't zover was en dán maatregelen kunnen

nemen. Bang ook na kraamvrouwenverhalen en wacht-
kamergeschiedenissen, die ik met bonkend hart ver-
nam, terwijl ik in een tijdschrift bladerde:

'De dokter zei dat ie nog nóóit zo'n zware bevalling
had meegemaakt.'

''t Kind zag al helemaal blauw.'

'De navelstreng zat viermaal om zijn halsje, net op
het nippertje...'

'Zeventien hechtingen had ik...'

'En een bloed verloren, mens, nee, je zal 't niet
geloven...'

Ik geloofde álles.

Toch stonden daar ook woorden van anderen tegenover, die zeiden of schreven dat het 't machtigste
moment van je leven is als het kind uit je glijdt, dat het
leven dan pas zin krijgt, dat je je spieren kunt trainen
en ze ontspannen, dat een geboorte een natuurlijke zaak
is. Ikzelf bezat genoeg noordelijke nuchterheid om te
beseffen dat 'nog nooit zo'n zware bevalling' onmoge-
lijk door iedereen kon worden meegemaakt. Bovendien
had ik vier boeren als grootouders, van wie de ene
grootmoeder placht te zeggen: 'Het hele Franse leger
is er zó gekomen.' Dat 'Franse' kwam mij raadselach-
tig voor (waarom bij voorbeeld niet het Finse?): later
besefte ik dat 't feit dat zij een Duitse was haar opmerking met enige rancune laadde: wat die Franse moeders
konden, dat kon ik ook, zal zij geredeneerd hebben.

Mensen laten je het betrekkelijke van alles inzien.
Er kwam bij dat ik werkte, dat maakt je minder geconcentreerd op elk wissewasje omtrent je lijf, waarover je trouwens ook gaandeweg gerustgesteld werd.
De woorden vagina en uterus kregen een nieuwe be-

tekenis: méér nog dan de verrukkingen van een orgasme kon daar gebeuren, omdat alles precies zo elastisch was als nodig zou blijken. Als klein meisje, nog van niets wetend, had ik met mijn zusje daarover gefluisterd, 's avonds in bed. Wij wisten te weinig, dat staat vast. Nú leren kinderen van ons dat alles heel gewoon is. Maar, zo gewoon is het niet. Er is de geheimzinnige weg in je lichaam als je voor 't eerst met een man slaapt. Er is de nog grotere geheimzinnigheid dat jij door zulke nauwe wegen kon.

Een kind verwachten maakt dat je verandert. Vooral van binnen. Tot aan het eind van je leven zal dat kind in je bestaan. Het maakt dat je veel dingen anders doet, belangrijk vindt, of veel minder belangrijk. Alsof er nu iets is gebeurd waarop je heel je leven had gewacht, en misschien was dat ook wel zo. Iets zo ingrijpends als na de dag waarop ik Wim voor 't eerst zag niet meer was voorgekomen.

'Waaraan merk je 't?' vroeg ik zo langs mijn neus weg, toen ik een dag of wat 'over tijd' was, aan de vrouw van een oudere collega. 'Als je sigaret je niet meer smaakt,' antwoordde de nuchtere Nel, die vijf kinderen had en verpleegster was geweest. Ik rookte niet en wist dus weinig méér. 'Ik zag het aan je. Je liep anders,' verkondigde een andere collega. Maar op het moment waarvan zij sprak wist ik nog van niets. Later, toen ik de jongetjes verwachtte, heb ik dat soort verhalen meer gehoord, ver vóór ze klopten. Ze willen het zien, verschijnselen die er niet zijn. Maar ik stond voor de klas omdat Wim vicaris was en we erg weinig geld hadden, en na vijf maanden zag ik er precies zo uit als vroeger. Dat wilde ik ook. Niet dat ik me schaamde of ontslag vreesde. Maar ik vond het irritant, de typen die vanaf de conceptiedag met vooruitgestoken buik bol rondlopen in te krappe jurken. Niet iedereen is in jouw zwangerschap geïnteresseerd en de eerste vijf maanden is er niets om je over aan te stellen. Nu deed ik dat natuurlijk tóch. Het heet dat je plotseling eigenaardige dingen wilt eten. Ik voelde die drang niet, maar stapte na school toch van mijn fiets om bij de kraam op de Laan van Meerdervoort de verplichte 'hartige hap' tot mij te nemen. Later heb ik bedacht dat een dag lesgeven met jou aan boord én de eeuwige windkracht acht op die eindeloze laan doodgewoon *honger* veroorzaakten.

Wat men een 'baby-uitzet' noemt bleek erg duur te zijn. Maar van Nel, die de oorlog nog scherp in haar geheugen had, leerde ik hoe je uit oude mannenhemden vijf babyhemdjes van de zachtste soort kon maken. Borstrokjes, katoenen, breide ik zelf, nu kwam mijn akte Nuttige Handwerken nog eens van pas. (Wacht even, voor die akte was ik gezakt, om eerlijk te zijn.) 'Juffrouw, wat heeft u bewogen aan dit examen deel te nemen?' vroeg de gecommitteerde. Maar het brei- en maaswerk ervoor had ik verricht!

Niet dat we geen zorgen hadden. Het was een tijd dat afgestudeerde theologen weinig kans maakten de pastorie in te gaan, ze mochten al blij zijn als ze ergens vicaris werden (een protestants soort kapelaan) en dat waren de meesten dan ook. Ik wilde jou op een behoorlijke manier te voorschijn brengen, dus niet in een ziekenhuis. Maar alles wat we hadden was een zolderkamer van andermans pastorie – nog vandaag ben ik daar dankbaar voor – waar Wims boeken in kisten stonden en we onze feestjes op de grond vierden. Er was geen balkon en hoe kreeg je een kinderwagen, stel dat je er een had, al die trappen op en af? Nú zou ik me gek lachen om zulke kleinigheden – toen maakte ik me er grote zorgen over.

We hadden geluk. Drie maanden vóór je werd verwacht werd Wim beroepen in het Zeeuws-Vlaamse dorp. En in de zolders, gangen en vertrekken van die pastorie raakten we de eerste dagen elkaar en de weg kwijt. De chauffeur die ons van de boot haalde reed expres omwegen om de dijkwegen met ronde keien te vermijden. Maar echte ongemakken had ik niet, behalve dat ik maagpijn kreeg van koffie, omdat jij zo tegen de organen daarbinnen zat aan te drammen. Voorts het bekende 'zwangerschapsmasker', witte kringen om ogen en neus, die ook in de zon niet bruin werden. Een kleine schoonheidsfout, zei dokter Chris. 't Gaat vast nooit meer weg, stelde ik vast. Heimelijk vreesde ik ook de opgezette enkels (die ik nog net in het vizier kon krijgen) levenslang te zullen behouden. Het waren de boerenvrouwen die mij, als ik bij hen zat in de keukens, handen om de koffiekom, geruststelden: 'Belneent, mens, als het kiend er eenmaal is, dan is dat weg.'

En zo was het. Daar bij: ik had het druk. Er moest veel worden kennis gemaakt. Met Wim fietste ik door de polders naar de boerderijen, op hobbelwegen die de chauffeur-van-de-boot met afgrijzen zouden hebben vervuld. Zelf bedacht ik ook weleens: zou ze er niet uitrammelen, maar het gebeurde niet.

Ik zag de doktersvrouw lopen met haar vierjarig dochtertje, in lange vlechten. Zo zul jij later lopen met

13

die kleine meiden, dacht ik, ik zal je haar vlechten of in een staartje doen. Zelf had ik nooit vlechten mogen hebben vroeger, het was lastig, met zulk dik haar. Eén keer had ik een draad rode breiwol boven mijn ponnie vastgestrikt, want linten had ik niet, fantasie zoveel te meer. Ik had gelopen of ik een zijden strik in zeer lang haar droeg. Tot mijn vriendin Gina proestend zei: 'Wat is dat toch voor een raar draadje!' en die illusie ook weer afgelopen was. jij zou je haar zo lang mogen dragen als je wilde. jij? Wie was jij?

Na vier maanden moest je 'leven voelen' heette het. Ik voelde niks en stelde ogenblikkelijk vast dat je wel dood zou wezen. Je was niet dood, alleen een beetje lui (en dat is niet veranderd). Tenslotte voelde ik je natuurlijk toch. En dat niet uit te spreken, vlinderig geruis in je buik: vaag: nauwelijks waarneembaar, waar? niet waar? Tot het bewegen niet meer te loochenen is en je je buikwand ziet golven in de zonderlingste uitstulpingen: dát heeft Wim altijd erg ontroerend gevonden, jij daar van binnen, spelend, trappelend, en wij die onze adem inhielden en niet wisten wie je was.

Nooit ben ik gelukkiger geweest dan toen ik zwanger was. Het mag bespottelijk klinken voor een geëmancipeerd wezen als waarvoor men mij houdt – maar het is zo. Na jou zijn drie jongetjes geboren. Maar nooit vergeet je die eerste keer. De eigenaardige, haast vloeibare warmte van binnen. Je kent mij – eeuwig onzeker, twijfelend aan alles – toen was ik kalm, logischer dan anders, geïnteresseerd in van alles en in mezelf. Nooit heb ik vaster geslapen dan in die tijd – mijn veiligheid was jij.

Natuurlijk zag ik tegen de bevalling op. Ik had alles gelezen, alle oefeningen gedaan, alle wenken onthouden. Maar de opmerking over het te nauwe bekken kwam weer boven. Ik ving een dokters-onder-me-kaar-verhaal op: 'Zet de tang er maar op, zei ik, dat wijf verdomde het te persen.' Tóén al werd ik zeer woedend als mannen dat soort bravoureverhalen ten beste gaven. Weten zij veel? Ook zag ik die tangen, ze pakken daar het kind mee uit je lijf wanneer het niet spontaan wordt geboren. Zou dan dat broze schedeltje niet verbrijzelen? Over meer dingen dacht ik na: bijvoorbeeld de onnatuurlijke houding waarin de vrouwen in Europa baren: liggend kún je uitgerekend niet persen. Hadden de Egyptische vrouwen er geen baarstoelen op na gehouden? En hurkten anderen niet als ze hun kinderen ter wereld brachten? Maar ik leefde nu eenmaal hier, en hier was alles ingericht op liggend baren. Best. Ik kon nu spieren ontspannen en spannen, naar believen.

Toen evenwel de eerste krampen kwamen, wist ik dat ik het, kraamzuster en dokter of niet, alleen zou moeten doen, en dat wilde ik ook, zonder de narcose, waarom ik Amerikaanse vrouwen soms had benijd: ik wilde er zelf bij zijn. Dagen tevoren had ik het huis opgeruimd, luiers gevouwen, een cake gebakken nota bene! Een eerste bevalling duurt vaak uren, dagen zelfs. Dat merk je aan het telefoonantwoord van de dokter: of ik het 'echt wel' voelde. Nou zo iets verzin je niet. Doe of het menstruatiekrampen zijn, hield ik me voor. Diep ademhalen, zei de kraamzuster, en dat hielp ook. De krampen volgden elkaar op. Langzaam met regelmaat, met telkens kortere tussenpozen, steeds heftiger, tot de 'ontsluiting' groot genoeg was voor jou om uit je vlies en vruchtwater te breken. Want ik wist dat jij daarbinnen net zo hard vechtend bezig was om naar buiten te komen als ik om je naar buiten te krijgen, uit te stoten uit het warme nest waarin je al die maanden had gewoond, je eerste en enige heelal. Net als jij voelde ik het ritme van de contracties sterker worden, ik concentreerde me zó, dat ik afstand voelde komen tussen de anderen en mij. Ik hoorde hun stemmen wel en deed automatisch wat ze zeiden: persen, zuchten, maar mijn ogen hield ik dicht, want ik moest luisteren naar jou, die ingespannen bezig was om langs die nauwe wegen aan de dag te komen. Geduwd, hotsend en botsend, half stikkend. De scherpe pijn van weefsel dat inscheurde (had je nu niet een iéts kleiner hoofdje kunnen hebben?) bezwoer ik door te mompelen: Het zal een haartje zijn, zoals een snee in je vinger snijdend pijn kan doen als je door je haar strijkt. Wel was dit honderd maal erger, maar als ik het benoemen en herkennen kon, zou ik het kunnen verdragen, dacht ik. Het hele Franse leger is er zo gekomen, dreunde het in mijn hoofd, het hele...

'Niét meer persen,' riep dokter Chris ingehouden. Leven en dood keerden zich in mij om, ik ging langs alle grenzen en was waar niemand me meer volgen kon. Van heel ver hoorde ik stemmen, ik reageerde, hield mijn adem in... Daar komt het hoofdje, zei iemand. Wim heeft dat gezien, ik niet, ik moest verder werken aan wat geboorte heet. Ik dacht het nu niet erg lang meer te kunnen volhouden, omdat ik moe werd, en jij het tempo aangaf. Niet meer persen, riepen ze weer, maar ik was je al niet meer de baas, we duwden met zijn tweeën. Wim kneep mijn hand en prevelde onzinnige woordjes, want hij zag je hele hoofdje met de open fontanel, ik niet, ik voelde het. Ik schreeuwde niet, ik hield mijn adem in, want ik wist dat je nu werd geboren. Je lijfje gleed uit mij, warm, glibberig lag het tegen mij aan, ik hoorde een dun stemmetje krijsen en ik richtte mij half op, alle pijn vergeten, omdat een mens ter wereld was gekomen. Omdat ik het gedaan had, mij uitgedrukt had in een taal die niemand spreekt. Heel even zag ik je, een spartelend lijfje, vastgehouden bij de voetjes, een open gat in het gezichtje, zo bitter huilde je. Je was grijs, grijs van huidsmeer, niet roze, ze veegden slijm uit je mondje en knip, de navelstreng was in tweeën, je had hem niet meer nodig. Het is een meisje. Ik hijgde nog en mijn gezicht – dat kun je op de foto die Wim heeft genomen zien – draagt duidelijk sporen van inspanning. Het is me dan ook een heel spierkarwei! De zuster lachte. Chris hield zijn voldoening ook niet voor zich, iedereen haalde opgelucht adem. Alleen jij huilde bitter, zoals alleen een pasgeboren mens kan huilen. Ik wou je terug hebben, en je troosten. Je zag niets, hoorde niets, je had geen pijn en wist van niets. Waarom moest ik pas ergens lezen: dat *denken* wij. Omdat we ons er nooit mee bezig hebben gehouden wat de pasgeborene zich van dit geweldige avontuur herinnert. Hij vertelt niets van de lange weg die hij in schaduw en stilte heeft afgelegd vóór het abrupt verbreken van de navelstreng, die oorspronkelijke eenheid. Hij is te klein, hij praat nu eenmaal niet. Zeker wel, zegt de Franse specialist dr. Leboyer, alleen, wij luisteren er niet naar.

Alle aandacht is op de moeder gericht. Maar wie is er om het kind te troosten, te begrijpen, te kalmeren als de grote beproeving ten einde is? Het ligt daar maar en schreeuwt, en iedereen denkt dat het zo hoort. 'Lééft het wel?' vraagt men ongerust als het kind niet huilt. Maar leven wil niet altijd zeggen: huilen. Dr. Leboyer gaat ervan uit dat een kind vanaf het eerste moment liefde nodig heeft, en dit is het eerste moment. Veel baby's die hij begeleidt komen dan ook met een tevreden gezichtje, en niet schreeuwend, ter wereld. Zijn theorie zal wel weer aanvechtbaar zijn. Maar ik voor mij weet dat we het met zijn tweeën deden. Dat jij even ontsteld was als ik, dat die gemeenschappelijke inspanning en 'shock' en de intense vreugde erná, ons blijft verbinden zo lang we leven.

Tenslotte huilde ik zelf een potje.

't Was avond en toen werd het stil. De bloesems van de prunusboom hingen tot vlak voor mijn open raam, ik kon niet slapen en lag er uren naar te kijken. Het was een avond zoals alleen april die heeft, een vogel praatte zo wat voor zich uit. Beneden werd gebeld, de burgemeester en zijn vrouw kwamen kennis maken met de nieuwe dominee, maar Wim brabbelde dat jij geboren was, verstomd stonden ze op de stoep. Ik merkte het niet, ik luisterde naar nooit eerder gehoorde geluidjes uit de wieg naast mij: geblaas, gesis, gegorgel, tevreden ademen, zo nu en dan een beetje huilen, zo maar, om niks, net zoals ik dat altijd doe. Dat was jij, Alma. Dat alles trok messcherp door mijn merg en been, die middag toen de boot losmaakte en zijn kabelstrengen introk – en ik besloot het voor je op te schrijven.

Olaf J. de Landell

De bloemkool-blaam

Heb je al gehoord van dat schandaal in Torenturver-terp? – Ja, wat gebeuren er toch een onverwachte dingen!... Maar je weet vast niet de juiste toedracht, zoals ik die weet.

Het was namelijk zó:

Aan de zelfkant van het dorp Torenturverterp woonde een ongetrouwde juffrouw van een jaar of dertig. Haar ouders hadden haar meedogenloos Neeltje genoemd, en daarin volhardde het ganse dorp.

Of die juffrouw nu ooit heeft gepeinsd over geluk en een huwelijk, is mij niet bekend; vast staat, dat ze snakte naar een kind.

Ze fantaseerde elke avond, als ze voor het slapengaan nog wat op de zandweg drentelde: 'Nou vind ik een vondeling!' En als ze thuis kwam, zat haar de schrik nog in de benen, van toen ze het kind gevonden zou hebben, als het er had gelegen. Overdag was dit alles tamelijk verre van haar; het was een schemerkind. Maar ze had op een middag bij het theelichtje tegen een vriendin gezegd: 'Ik zou toch zo bittergraag een kind willen hebben!' – en nadien kon die vriendin haar niet meer groeten. Zij begréép, wat voor vlees ze in de kuip had, zei ze.

Het kind deed de ronde door gans Torenturver-terp, en een lichtzinnige vent had op een avond bij juffrouw Neeltje gebeld.

Dat was de avond dat ze vroeg naar bed was gegaan met een aspirientje voor de verkoudheid.

Zij hoorde de bel niet.

De lichtzinnigheid ging haar deur voorbij.

Eens, op een zonnige lente-ochtend, kwam er een oud, oud kereltje langs gelopen, met een klepmand aan zijn arm. Neeltje was aan het zaaien in de voortuin, en het mannetje vroeg een glas water voor de dorst.

Zij bracht het hem.

Een gesprek ontbotte: over zaailingen en wilgekatjes, over jonge hennen en bloembollen.

'Woon je hier alleen?' vroeg die ouwe man.

'Ja,' zei de juffrouw. Dat zei ze altijd, omdat ze niet wou liegen; hoewel het levensgevaarlijk is, tegen mensen langs de straat te zeggen, dat je alleen woont in een huisje bij de hei.

'Je moest eigenlijk een hondje hebben, of een poes,' zei dat mannetje. Hij zag haar met wonderlijke sterre-ogen aan.

'Of een kanarie, of – ' Hij brak kort af.

'Een goudvis,' vulde Neeltje aan, zonder enige humor.

Doch het gevonden kind lag wel op veertig plaatsen om haar heen, en ze wist, dat het mannetje dit aan haar zag.

Hij opende zijn hengselmand, en nam er een schriel plantje uit. 'Dat moet je vandaag nog planten op een beschut plekje,' zei die man, 'dan zul je gelukkig worden.'

Zijn stem was zo zacht, het leek wel of hij neurie-
de. Neeltje had de melodie kunnen nazingen, maar die
vergleed snel, met het zonnelicht. Zij stak beleefd haar
hand uit.

'Dankuwel,' zei ze.

Gelukkig worden?? Van zo'n zot koolplantje???
Misschien was dat ventje wel gek; ze griezelde eensklaps.

'Nee, heus!' zei het mannetje, alsof hij haar gedachten hoorde, 'je zult heel gelukkig worden – maar je
moet verstandig zijn.'

Ze zei nogmaals 'dankuwel', en blikte toen met
opgepoetste schijn-verrukking naar het welkerige
koolblaadje.

De oude man groette haar, en liep door.

Tja, – of ze nu had staan dromen, daar aan dat hekje?? – Toen ze even later wilde kijken, waar hij heen
liep, was hij op het wegje noch ergens op de hei te
zien.

'Misschien is hij gevallen,' dacht ze verbaasd, 'of
heeft hij zich verstopt...?'

Ze besloot, die avond geen kind te gaan vinden.

En och, ze had toch voldoende medelij met dat
schriele plantje tussen haar vingers, dat ze er een
plaatsje voor zocht, achter het huis. Ze gaf het een
beetje water, en daar stond het toen.

Het leek wel onkruid.

Maar de volgende morgen wist ze niet wat ze zag: de
plant was wel vijfmaal zo groot, en in het hart tussen
de bladeren, zat een klein, room-blank bloemkooltje.

Juffrouw Neeltje keek en keek en keek.

Griezeligheid en vreugde vlochten een kittelig net om haar hele lijf. Zij liep verblind langs de struiken en boompjes, tot zij in de voortuin stond, en uitkeek over het wegje.

Daar wandelde juist de burgemeester: een deftig, moreel hoogstaand man. Hij nam zijn hoed af en zei: 'Goedemorgen!' want hij herkende Neeltje als een ingezetene van zijn dorp.

Maar dat woord 'goede-morgen' kraakte haar nu juist.

'Burgemeester!' stamelde Neeltje. En naar zijn beleefd toegewend gezicht fluisterde zij haar bevindingen met die koolplant.

De burgemeester bewoog niet één spier in zijn gelaat. Hij dacht eerst aan één april, maar dat kon niet – het was nog te vroeg. Nee, dat mens woonde hier alleen, en waarschijnlijk al veel te lang. Ze was dus vreemd geworden. Hij moest voorzieningen treffen, en hier niet meer langs gaan wandelen zonder de diender of de stadhuisbode.

Intussen hield juffrouw Neeltje het hekje open, en de burgemeester kon zijn beleefde benen niet tegenhouden: hij marcheerde naar binnen als een soldaat op parade.

Hij stond stil bij de plant met het bloemkooltje; maar hij vond het een heel normaal gewas. Hij luisterde met gefingeerde belangstelling naar Neeltje's verhaal over dat ouwe mannetje, en bedacht inmiddels, dat hier ingegrepen moest worden: deze vrouw diende zo spoedig mogelijk te worden overgebracht naar een passende inrichting. Hij zei midden in de geschiedenis 'Tot ziens', en 'goedemorgen'; hij lichtte zijn hoed, en ging weer terug naar huis.

Vlak bij het raadhuis kwam hij de secretaris der gemeente tegen; en hèm werd het probleem voorgelegd. De burgemeester sprak zijn zorg uit, en vermeldde met nadruk het nerveuze optreden van bedoelde dame.

'Een blóémkool?!?!' herhaalde de secretaris, dwars door het zenuwverhaal heen. 'Maar burgemeester, dat bestáát niet, zo vroeg in het voorjaar!...'

De deftige man zweeg, en voelde zijn zenuw-diagnose leeglopen.

De secretaris wilde er direct heen.

'Laat ons dat niet doen,' zei de burgemeester. Als die juffrouw níét raar was, was haar probleem het dus wel, en dan dorst hij dat wel onder eigen aandacht te houden. Indien er namen in kranten moesten komen, behoorde zijn naam daar eerder in dan die van de secretaris.

De ochtend daarna stond hij al om half acht op de stoep bij juffrouw Neeltje.

Zij was nauwelijks overeind, en keek uit het bovenvenster met een hoofd vol krulpennen.

'Hoe maakt uw bloemkool het?' informeerde de burgervader; en hij vond zelf, dat het afschuwelijk klonk.

Neeltje blikte op hem neer en zei: 'Ik weet het niet...'

Toen trok ze een groene ochtendjurk aan, en haastte zich op pantoffels naar beneden, om het dorps-bestuur in zijn onderzoekingen bij te staan.

De burgemeester glimlachte, en zei dat het een

schitterende morgen was. Neeltje glimlachte ook, en zei 'ja,' hoewel ze nog half bij haar droom verwijlde: ze had die nacht ontelbare oude-mannetjes-vondelingen geraapt, en voelde zich afgemat.

De burgemeester zei 'Na u', en Neeltje zei 'Nee, na u,' en toen waren ze in de achtertuin, waar allerlei bloemen reeds trachtten uit te komen, wat alleen enkele crocussen goed was gelukt.

Achter een struik stond de koolplant; en ze hoefden helemaal niet eerst erheen te lopen, om te zien dat zij weer van vorm was veranderd.

De plant was nu eenvoudig reusachtig, en de bladeren waren van boven toegevouwen. Ze leek een immense kaas te bevatten, of een kalebas.

'Gisteravond was ze nog net als 's morgens,' verontschuldigde Neeltje zich.

De burgemeester stond te stampen van nieuwsgierigheid. Hij had talloze linten doorgeknipt en bruggen geopend, maar deze koolbladeren dienden naar zijn hoffelijke mening toch uitééngebogen te worden door de bezitster.

Juffrouw Neeltje frunnikte wat aan de blaren, die krampachtig krom stonden, en boog hen van elkander.

Wat zij toen beiden zagen, was zo volstrekt onverwacht, dat de burgemeester èn Neeltje elk voor zich meenden, dol te zijn.

De bloemkool bevatte een levend wezen; met een groenachtige, blanke huid. En er was heus geen dokter nodig om te constateren, dat dit een volgroeid negenmaands mensenkind was...

Toen het daglicht naar binnen viel, opende het

kindje de oogjes en kraakte op zijn keel, waarna het begon te huilen. 'Een kind!' hijgde juffrouw Neeltje. Zij zakte wiebelend door de knieën, want dit beeld had zij te dikwijls opgeroepen, om de werkelijkheid ervan nog te kunnen verdragen.

'Een welgeschapen zoon,' zei de burgemeester. Hij verdacht Neeltje van vreemde connecties, van menselijke zwakheid, van toch-niet-eenzaamheid.

Maar tegelijkertijd zag hij, dat het kind met de navelstreng in de bloemkool vast zat, dat het groen was, ja: dat de witte krulletjes op het bolletje bloemkool waren!... En hij wilde de verbazing van de secretaris over bloemkool in dit jaargetijde niet vergeten: hier gebeurden héél belangrijke dingen, en hij was er de eerste getuige van.

'Hoe komt dit kind hier?' informeerde hij ambtelijk.

'Ik – wéét het niet...,' piepte juffrouw Neeltje, en trachtte met onhandige vingers het groene wezentje los te pulken.

'Nee, néé!' doceerde de burgemeester dringend, 'de navelstreng, juffrouw! Eérst afbinden!...'

Zij vonden een draadje raffia, en bonden daarmee het kind af. De burgemeester knipte de navelstreng met zijn sigareknipper door. Ontroerder had hij geen rijweg of brug ooit geopend, dan dit nieuwe leven.

Een ogenblik waren zij totaal vergeten, burgemeester en juffrouw Neeltje te zijn.

'Hij heeft het koud,' zei de man, en deed zijn wollen bouffante af.

'Ja,' kirde de vrouw, 'hij heeft honger, he?...' En daar het thans haar beurt was, een bijdrage voor de vondeling te leveren, kreeg zij een kleur als een tomaat. 'Van wie is 'ie...?' lispelde zij verwezen, en keek de man aan.

'Van die koolplant,' antwoordde hij. Veel te vlot: zulke dingen had hij vaker gezegd, dat was duidelijk.

'Ik – eh – zal hem meenemen,... in húís...,' lispelde juffrouw Neeltje.

'Ja,' stemde de burgemeester in. 'Maar – eh – wacht es, – dat kind moet natuurlijk worden aangegeven bij de burgerlijke stand...'

'Misschien wilt u dat dan meteen even doen...,' stelde juffrouw Neeltje opgewonden voor, 'ik zal het vandaag verschrikkelijk druk hebben!'

Er kwam niet dadelijk antwoord.

Toen Neeltje zich omwendde, ten einde de burgemeester aan te zien, had ze een gevoel, of ze een klap op haar hoofd kreeg. Daar stonden zij, een man en een vrouw, met een kind uit een bloemkool.

'Ik zal mij van deze situatie dienen te distanciëren,' verklaarde de burgemeester stijfjes. Hij had bliksemsnel overzien, dat niemand hem zou geloven, indien hij bij Neeltje vandaan kwam, waar hij zó vroeg op de dag alléén naartoe was gewandeld, en nu bij de burgerlijke stand een kind uit een bloemkool kwam aangeven.

'Maar---- ìk---- ' kokhalsde Neeltje, van geschokt fatsoen, 'ik--- kan toch-- niet h-- helpen...'

En ze wisten beiden, dat dàt een verkeerde zinsbouw was, in de gegeven omstandigheden.

De burgemeester verliet haastig de tuin, en sloop langs alle achterpaden naar een ander gedeelte van zijn dorp, waar hij neuriënd herbegon te wandelen.

Intussen zat Neeltje in haar kamer, met het groene jongetje op haar schoot. Ja, het was dus een jongen. Ze wilde hem maar Henkie noemen, naar haar vader. Zij was zo hemels gelukkig, dat ze God en het ouwe mannetje luidop dankte.

Een kind had ze!... Nooit meer zou ze zich hoeven te verbeelden, er eentje te vinden, 's avonds op de hei. Het was de eerste dag, dat ze haar eenzaamheid niet herkende.

Het kind moest worden gevoed! Melk en water, in een trekpot met een gummituit. Het kind moest kleertjes hebben! Luiers! Poeder! Een badje! Een wieg! Een weegschaal! Dekentjes! Lakentjes! Een kussentje!...

Zij zou verbijsterend hard moeten werken, om het kindje een goede verzorging te kunnen geven. Maar ze was zo vreselijk, hemels blij, een kind te hebben! –

Die middag kreeg ze visite. Een vriendin.

En in haar opwinding vertelde Neeltje van de bloemkool, en van de burgemeester.

De vriendin beloofde, er nooit met iemand over te zullen spreken.

De volgende dag kwamen er vijftien vriendinnen; en een politieagent.

'Zie je wel!' zei de vroegere vriendin, die had geweten, wat voor vlees ze in de kuip had.

De agent maakte proces-verbaal op, omdat het kind niet was aangegeven.

'Ik kon niet weg,' zei Neeltje.

'Dan had de vader het moeten aangeven,' zei de agent.

'Maar er ìs geen vader,' zei Neeltje. 'Het kind komt uit een bloemkool!'

Zij werd op het stadhuis geroepen, bij de kanton-rechter.

Ze noemde de burgemeester als getuige.

Doch de burgemeester was diep verontwaardigd, en merkte op, dat hij juffrouw Neeltje slechts kende als een alleenwonende dame met zwakke zenuwen; zij had hem wel eens goedemorgen gewenst, wanneer hij voorbij wandelde.

Iedereen was op de hand van de burgemeester, en vond het toegespitst brutaal.

De kantonrechter informeerde naar de naam van de man, die juffrouw Neeltje deze bloemkool had ge-stoofd.

Zij wilde vertellen van het ouwe mannetje; hoe hij had gezegd, dat ze gelukkig zou worden, wanneer ze verstandig was. Maar ze kon geen woord uitbrengen.

Eensklaps begreep juffrouw Neeltje, dat het mens-dom één wegrichting kent, en dat alle termen en ver-halen in die richting wijzen. Men kan daar niet alleen tegenin gaan.

Zij zweeg; en grote tranen dropten uit haar ogen.

'Ik heb altijd zo graag een kind willen hebben,' zei ze toen, 'ik ben zo eenzaam.' Het kon haar niet sche-len, hoe de mensen haar woorden zouden opnemen of vertalen. 'De hemel is mijn getuige, dat ik dit plantje van een oude man kreeg; de burgemeester is mijn ge-tuige, dat ik daar twee dagen later een kind uit los-sneed...'

De mensen hoofdschudden tegen elkander: die meid moest geweldig driest zijn, of volslagen krank-zinnig – misschien beide!...

Toen stond de gemeentesecretaris op, en meldde,

dat de burgemeester hem de dag tevoren van die bloemkool had verteld. En nog was de stilte na zijn woorden niet dichtgevloeid, of er rees een fikse arbeider overeind, die wist te zeggen, hoe hij de burgemeester op die bewuste ochtend van Neeltje's hek had zien wegsluipen.

En de vriendin, die Neeltje had beloofd, te zullen zwijgen, getuigde burgemeesters bouffante rondom het bloemkoolkind te hebben herkend. –

De zaal was veel stiller dan geluidloos.

En terwijl de mensen naar de burgemeester oogden, die purperkleurig trachtte zich te verklaren, stond er opééns een oud mannetje met sterre-ogen voor de balie. En hij nam het woord.

'Als een vrouw héél goed en vriendelijk is voor mens, dier en plant,' zei hij met een zingend-zachte stem, 'wat maakt het dan uit, of zij een kind heeft van een man, of van een bloemkool?... Het ene is geen minder groot wonder dan het andere. U schijnt dit allen te hebben vergeten. Nu zal ik u een wonder laten zien, dat u overtuigen moge van onschuld, waar u die met uw menselijk gebrek aan verstand niet vermag te onderkennen.'

Hij liet zich dan het kind brengen, de kleine Henkie.

Hij liet het kind ontkleden.

De mensen in de zaal verdrongen elkander om toch vooral niets te missen. Zij allen zagen, hoe schrikkelijk groen het kindje over zijn ganse lijfje was. Ze aanschouwden zijn bloemkool-kuifje.

De oude man zei: 'Let op!' En hij hief zijn hand boven het kind.

Het kuifje werd goudblond krulhaar. De groenheid

op de huid week; een bloeiend zilverig roze begon te blozen over de zuigeling. Hij was zo roze als een biggetje – hij was zo roze als een pas geschapen mens.

'Mensen-kind!' zei het oude mannetje neuriënd. –

En met dit woord leek hij zijn krachten te hebben verspeeld: hij werd wazig van lijnen, zijn vlees en klederen werden doorzichtig, zijn eigen kleuren vervaalden tot blauwig-grauw – hij kringelde in een smalle rookpluim op.

Het is ongetwijfeld jammer, dat hij met al deze dingen niet wachtte, tot er televisie aanwezig was, – of tenminste een filmapparaat met voldoende belichting. –

Maar Neeltje ging gelukkig met haar kind naar huis.

En dat is toch het belangrijkste. –

Monique Thijssen

In jouw toestand

Hij was zo vertederd door haar zwellend buikje dat ze er de kriebels van kreeg...

'Zes maanden en nauwelijks te zien,' fluisterde hij dichtbij, 'maar jij en ik, wij weten dat hij erin zit.'

'Binnenkort weet iedereen het,' zei ze, 'vrees niet, het kan niet uitblijven.'

'Bij mijn moeder zag je niets toen ze mij droeg,' mijmerde hij. 'Tot ver in de zevende maand zag je niets, ze droeg zeer hoog en niemand die het in de gaten had, maar dan ook niemand.'

'Je vader ook niet?' vroeg ze. Ze draaide zich naar hem toe. 'Doe me een lol, zeur niet te veel over je moeder en hoe zij het deed. Ik kan er niet tegen.'

Hij zweeg even en glimlachte toen teder.

'Ach ja, het is je toestand. Snel gepikeerd. 't Geeft niks, hoor. Mag ik m'n hand er even opleggen?'

'Zeker.' Ze bedekte zijn hand tot ze samen beweging voelden. Hij haalde geschrokken zijn hand terug. 'Niet doen, joh, niet drukken, misschien deuken we hem in...'

'Ben je gek,' zei ze luchtig, 'en waarom heb je het aldoor over hem? 't Kan best een mooie meid zijn.'

Aan zijn ademhaling was te merken dat hij zich aan de uitdrukking ergerde.

'Nee. 't Is een zoon. Een stamhouder,' gebood hij, 'zul je er goed op letten? Want ach, hij is nog zo klein, als jij er niet was, kon hij niet komen. Pas goed op je tellen, ik reken op je, denk eraan...' Hij dekte haar toe tot aan haar kin en begon zich aan te kleden.

'Hij, hij, ʜɪᴊ...' ze schopte bokkig tegen het laken. 'Ik voel me net een fokmerrie met het kostbare jong in me van een Arabische hengst.'

Hij bleef als bevroren staan met zijn hand aan het dassenrek. En het duurde een tijdje, maar toen had hij het toegeeflijke lachje weer om zijn mond.

'M'n moeder was ook zo moeilijk toen ze mij droeg,' troostte hij zichzelf. ''t Geeft niks, hoor schat. Zeg het gerust, ik kan er tegen. Eet straks je eitje en ga buiten wandelen, maar niet in de felle zon en vanmiddag moet je lekker gaan slapen, hoor.'

'Ga nou maar.' Ze trok een apebek naar het plafond. 'Anders mis je de trein nog.'

'Ja, ja, ik moet nou voor drie verdienen,' riep hij olijk, 'of wie weet voor vier? Hè? Twee mooie zonen in één klap?'

'Waarom niet drie in een rótklap?' vroeg ze, 'of vier in een áárdbeving? Geef me m'n boek even aan.'

Hij nam het van de plank, bekeek het en bewoog afkeurend zijn neusvleugels.

'Gerard Reve? Lees je die man? Dat is helemaal niet comme il faut. Dat zijn toch vreselijke dingen. En dan in jouw toestand. Je moet ᴍᴏᴏɪᴇ dingen lezen of plaatjes kijken, of een handwerkje doen...'

'Waarom Gerard Reve niet?' vroeg ze onschuldig, 'ik hou best van die man.'

'Die man... je weet toch wel dat hij een je weet wel is, een dinges?' Hij maakte een onduidelijk gebaar.

'Meneer dinges weet niet wat swing is?' hinnikte ze.

'Van dattum?'

'Dat soort lectuur moet je niet lezen in jouw toestand,' zei hij streng, 'dat kan niet goed zijn.'

'Hoezo?' vroeg ze met haar liefste tuitmondje, 'ben je bang dat ik van die lectuur een homofiel zal voortbrengen?'

Nu bleef het lachje weg. Hij deed rukkerig zijn stropdas aan.

'Als hij maar gezond is!' zei ze tegen zijn rug.

Zijn hoofd zwol rood op boven zijn gladde boord. Nou is het mooi afgelopen met het gezwijmel, dacht ze wreed. Maar nee, hij beheerste zich met ware doodsverachting; verdomd, hij lachte weer, al was het zonder ogen.

'Ik heb ervan gehoord, hoor,' zei hij, 'vrouwen zijn soms zeer tegendraads in die toestand. Ga nou maar lekker rusten. Ik zal de thee warm houden, vergeet je eitje niet straks. Zal ik een pot augurken meenemen?'

'Waarvoor?' vroeg ze.

'Daar had mijn moeder ook altijd zo'n zin in toen ze mij droeg, het schijnt heel gewoon te zijn.'

'Deze houdt niet van augurken,' zei ze. 'Breng maar gerookte zalm mee.'

'Gerookte zalm? Hm. Nou goed, als je daar zin in hebt, is het niet te vet voor de jongen?'

Ze zweeg. Hij ging naar beneden. Ze hoorde hem bezig in de keuken. Ze draaide zich om, de zon bescheen haar gezicht, ze probeerde aan mooie dingen te denken, maar beneden viel de deur in het slot en daardoor dacht ze aan de man.

'Ach, Heer...' zei ze recht tegen de zon in, 'als het Jou hetzelfde is... geef me een dochter.'

Louis Frequin

Het kind

Hij keek op vanuit zijn boek, toen ze de kamer binnenkwam. Hij moest glimlachen, toen hij haar bolle buik achter de gebloemde, wijduitstaande jurk zag en hij fantaseerde haar op het zelfde moment als een smal, rank, wit schip, waarvan het zeil strak en bol in de wind stond en met een klein kind voor op de boeg. 'Tussen mijn leden zit een kind, – te zingen in de voorjaarswind,' parafraseerde hij Jan Engelman.

'Zit je me uit te lachen?' vroeg ze.

'Nee hoor,' zei hij, 'maar ik had wel een binnenpretje, toen ik je zag binnenkomen.' En hij vertelde haar wat er door zijn hoofd was gegaan.

'Gekke vent,' zei ze, 'waar haal je zo'n dwaze fantasie in godsnaam vandaan?'

'Uit het ongerijmde. Hoe voel je je?'

'Ik denk dat het niet lang meer kan duren, want ik heb het behoorlijk onder in mijn rug.'

'Zal ik de dokter maar bellen als voorlopige informatie? Dan kan hij er rekening mee houden, als het echt gaat spannen.'

'Welnee, zover is het nog lang niet.'

Ze zette een paar kopjes op de theetafel in het gareel en zei: 'Ik vind het alleen erg vervelend, dat het de nieuwe dokter moet doen. De vorige kende ons goed. Een ontzettende fijne man. Een heer ook. Bij hem was je altijd op je gemak. Waarom is hij eigenlijk met zijn huisartsenpraktijk gestopt? En net nù.'

Hij stond van zijn grote, groengestoffeerde stoel op, vatte haar bij de armen en vroeg glimlachend: 'Een beetje nerveus?'

Ze knikte.

Hij streek haar over de blonde haren en zei: 'Ik denk dat de praktijk hem te zwaar werd. Hij volgt nu weer colleges. Wil anesthesist worden. Merkwaardig he?'

Ze knikte weer, keek hem aan en vroeg: 'Wat vind je zelf van de nieuwe?'

'Valt misschien best mee. Maar je bent toch zelf bij hem geweest.'

'Tja,' zei ze, 'het is nog vreemd. Hij is best wel aardig, maar weer anders. Je moet er aan wennen. Woont hij al in het huis van de vorige?'

'Hij vertelde me, dat ie nog wat in het grote huis wilde laten vertimmeren. Hij slaapt er wel, maar zijn gezin komt pas later. Wat denk je: zal ik de andere kinderen nog naar onze ouders brengen?'

'O nee,' antwoordde ze, 'laat ze maar rustig thuis. Ze weten toch wel dat er weer een kindje bij komt. Als het er is, dan is dat ook een feestelijk gebeuren voor hen. Ik vind het leuker als ze dan thuis zijn. Ik geloof dat ik even ga liggen.'

'Het lijkt me beter voor je als we samen een blokje-om maken,' zei hij, 'bewegen is goed voor je. Ik bel wel even de kraamverzorgster. Die moet maar 'stand-by' zijn, vind je niet?'

Ze gaf er geen antwoord op. Hij wist dan dat ze het goed vond.

'Ik ben erg moe. Ik ga toch maar naar boven.'

35

'Zal ik je even helpen?'

'Nee hoor. Ik kan dan meteen weer even nagaan of alles inderdaad klaar staat.'

Hij liep toch maar even achter haar mee de trappen op en steunde haar voorzichtig met zijn handen in haar rug. Samen liepen ze de benodigde attributen na en keken in het kleine kamertje naast hun slaapkamer naar het gereedstaande wiegje en de commode, waar een weegschaal op stond.

'Verdomd,' zei hij, 'het warmwaterkruikje nog.'

'Die ligt in de commode. In de bovenste lade, rechts,' zei ze.

Hij had ervaring. Het zou hun zevende kind worden, maar bedacht hij, hun vorige huisarts had er nog meer. Die had hem eens verteld, dat iemand aanmerking op zijn grote gezin had gemaakt en hij had toen geantwoord: 'Mevrouw, ieder moet voor zich maar uitmaken of het de moeite waard is om zich voort te planten.'

Een mooie vent.

Hij stopte haar nog even toe, liep naar beneden en belde de kraamverzorgster. Door de serredeuren zag hij Greet, hun meisje en toeverlaat, met de kleinsten in de tuin spelen. De groteren konden zo uit school komen. 'Het gaat vanavond of vannacht gebeuren,' dacht hij, terwijl hij naar de boekenkast liep en naar een oude album uit de reeks zocht, waarin hij met foto's en tekst de kleine geschiedenis van zijn gezin bijhield. Toen hij het album had, schonk hij zich een glas sherry in, zakte in zijn grote stoel en begon te bladeren tot hij vond wat hij zocht. De foto's en de tekst van hun eerstgeborene. Toen hij las wat hij toen geschreven had, dacht hij: het is eigenlijk niet meer van deze tijd, waarin zo ontzettend veel veranderd is. Je moet het tegen de achtergrond van toen lezen. Maar hij dacht er niet aan om er ook maar iets in te wijzigen. Hij sloeg het boek dicht, leunde achterover en herinnerde zich opeens, dat hij destijds met zijn tranen van ontroering en geluk had moeten vechten, toen hun eerste uit haar schoot de wereld ingleed. Een kind is een groot wonder, zei hij tegen zich zelf en telkens weer opnieuw het sluitstuk en de bezegeling van het geluk tussen twee mensen met de binding van beiden. En hij glimlachte toen hij er ineens aan moest denken, hoe hij na die geboorte met zijn eigen vader beneden in de zitkamer uitbundig had zitten pimpelen, terwijl zijn moeder aan het kraambed bij zijn vrouw honderd uit zat te praten. Het was tenslotte de stamhouder.

Opeens hoorde hij gestommel boven zich. 'Verdraaid,' dacht hij, 'de bel ben ik vergeten.' Hij pakte de mooie zilveren bel met de ebbenhouten steel en zette de telefoon naar boven.

Terwijl hij met vlugge tred de trap op liep, schelde hij een keer, zodat ze wist dat hij er aan zat te komen.

Toen hij de slaapkamer binnenkwam, zag hij haar op de rand van het bed zitten met een wat verkrampt gezicht en de handen in haar rug.

'Is het begonnen?' vroeg hij.

Ze knikte.

'Ga maar lekker liggen, dan bel ik de kraamverzorgster.'

Ze ging niet liggen. Maar probeerde te gaan staan. Hij vatte haar handen en trok haar behoedzaam omhoog. Toen belde hij de kraamverzorgster, zei dat 'het zover was' en of ze maar wilde komen en liep vervolgens naar beneden, de tuin in, informeerde het meisje en vroeg haar de kinderen op te vangen, die ieder ogenblik uit school konden komen. Dat zou ze doen.

Net als de vorige keren had hij het gevoel alsof hij als een kat door een vreemd pakhuis liep. Het had iedere keer toch weer iets enerverends, dat hem toch wel gespannen en nerveus maakte. Het gaf hem van de andere kant een wat bevredigend gevoel zelf telkens bij de bevalling te zijn geweest. Samen uit, samen thuis, zei hij dan gekscherend en bedacht ook weer, dat je toch maar beter een man dan een vrouw kon zijn. Want zo'n bevalling was toch eigenlijk geen flauwekul. Eerlijk was eerlijk. Ze had gezegd: 'Blijf maar beneden bij de kinderen; als ik je nodig heb, dan bel ik wel.'

'Maar dan ook doen, hoor!' Ja, dat beloofde ze.

Hij herinnerde zich opnieuw, dat ze altijd zijn hand vasthield als de weeën er waren en dat ze hem hevig en pijnlijk kneep als de persweeën toenamen. Dan werd ze trouwens in-wit en dan streelde hij haar over de wangen en bette het parelende zweet van haar voorhoofd. Als het gebeurd was, begon ze te trillen als een espenblad. Achter het slaapkamergordijn had hij alvast de Hennesy, een waterglas, een lepel en een ei klaar gezet. Dat had ze dan graag. Als ze dat geklutste ei met een flinke scheut cognac op had, dan was het zo weer gepiept. Kreeg ze weer kleur en praatjes. En als het kind schoon en geluierd in de wieg lag, dan moest het meisje achter elkaar een malse biefstuk bakken. Ze had zo haar eigen ritueel.

De laatste tijd zei ze telkens: 'Het wordt een meisje,' en als hij dan wat vaag opmerkte: 'Laten we maar rustig afwachten, als het kind maar gezond is met alles er op en er aan,' dan hield ze vol: 'Ik weet zeker dat het een meisje is – dat voel ik aan de dracht.'

'Nou dan weer een meisje, maar dan raken wij mannen wel in de minderheid,' grapte hij dan. De stand was 3 – 3. Ze hadden na enig overleg ook de naam al gevonden. Als het een meisje werd, zou het Elisabeth heten. Hij vond een naam altijd belangrijk. 'Nomen est omen', een naam moest een teken zijn, een symbool, in elk geval moest het aan het kind later iets kunnen zeggen. Elisabeth was de vrouw geweest, die armen hielp, tranen droogde, troostte en rozen onder haar mantel toonde, toen haar man vermoedde, dat zij brood naar de armen bracht. En zij vond het best en prachtig.

Bij de laatste, vorige bevallingen had hij de dokter pas laten komen als de weeën om de drie minuten kwamen, anders kostte het de man maar tijd en doorgaans zijn nachtrust. Ja, een mens krijgt ervaring met zes bevallingen, tenzij er natuurlijk complicaties waren. Maar die zag hij nu niet zitten. Tot nu toe was alles normaal gegaan.

Hij hoorde, dat de oudsten van school thuis waren gekomen en liep de tuin in, waar het meisje ze bijeen hield. De kinderen kusten hem goeden dag en hij vertelde hen, dat het nieuwe kindje zich vanavond of vannacht wel melden zou. Ze zagen hem stil en nieuwsgierig aan. Het oudste meisje vroeg: 'Zal ik mama wat warme melk brengen?' maar hij weerde het lieve gebaar taktisch af, zei dat mama nu sliep en ook wat pijn had. Hij stond als een schoolmeester tussen hen in en vertelde ze hoe zo'n geboorte in haar werk ging. Ze luisterden met grote ogen. Een van de meisjes zei: 'Dan zullen we maar geen lawaai maken, hè paps?'

'Ga maar fijn spelen. Tenzij je nog huiswerk moet maken.' Dat hoefden ze niet.

'Ga je mee voetballen?' vroeg de oudste zoon wat laconiek aan zijn jongere broer. 'Maar dan achter in de tuin en niet schreeuwen,' zei hij. Ze waren al weg, toen hij hen nariep, dat ze meteen als Greet ze riep voor het avondeten aan tafel moesten komen. Maar ze waren al achter de erker verdwenen. Toen wandelde hij weer naar binnen en naar boven.

De kinderen waren al door Greet naar bed gebracht. Ze hadden nog even mama 'welterusten' mogen wensen en liepen toen, de een wuivend en de ander wat bedremmeld, de kamer af. De kraamverzorgster, die ze altijd gehad hadden, zat beneden, met Greet, in de zitkamer te praten. Ze konden hun stemmen gedempt en als van verweg boven horen. Af en toe kwam Anna, de kraamverzorgster, de trap op, schudde haar kussens op en vroeg dan of ze wat wilde drinken of iets anders wenste.

De weeën kwamen nu regelmatiger en vlugger op elkaar. Hij keek op zijn horloge. Tegen elven al. Omdat de trouwe Anna toch boven was, liep hij even naar beneden, schonk zich een borrel op de goede afloop in en belde de dokter. Die nam direct zelf op en hij informeerde de arts over de stand van zaken. 'Het wordt nachtwerk, dokter. Ik bel u als de weeën om de drie minuten gebeuren. Dan komt U, oké?' De dokter vond het uitstekend: 'Ik wacht op uw telefoontje!' Hij legde de hoorn op de haak en nipte van zijn borreltje. Hij bladerde wat door het avondblad, nam de koppen in zich op, dronk zijn glaasje leeg en hoorde de kraamverzorgster binnenkomen. 'Ik denk dat er nu schot in komt,' zei die wat zakelijk, en tegen Greet: 'Je kunt wel naar bed gaan, als je wilt; als je nodig bent, roep ik je wel. In elk geval moet jij morgenvroeg weer fris zijn, als de kinderen op moeten.'

Hij dacht die weet van wanten en regelt de zaken wel. Hij ging weer naar boven en zag dat ze het goed te kwaad had. 'Moeilijk en pijnlijk?' vroeg hij. Ze knikte. Toen er weer een wee opkwam, legde hij haar hand in de zijne, maar ze liet los en omvatte de zijne. Ze begon hem stevig te knijpen, terwijl ze met de andere de rand van het ledikant vastgreep.

Hij dacht: ik ga niet meer naar beneden, en begon op zijn horloge de weeën te controleren. Het was al over twaalven. Ze kwamen nu om de vijf minuten.

'Knijp me maar zo hard als je wilt,' zei hij tegen haar. Ze transpireerde hevig en hij veegde met een koel en nat gemaakt washandje haar voorhoofd af. Toen de weeën om de drie minuten kwamen en ze weer hevig kreunde en steunde, en hij in de daarop volgende pauze net wilde opstaan om de dokter te bellen, zei ze zelf al: 'Je moet nu toch maar de dokter bellen, jongen. Het duurt niet zo lang meer. Mens, wat een toestand. Het is bijna niet uit te houden.'

Hij liep naar het andere nachtkastje, waarop het telefoontoestel stond en draaide het nummer van de dokter. Die nam niet, zoals eerder, de telefoon meteen op. Hij hoorde het ding met grote regelmaat overgaan en zei tegen haar: 'Hij is zeker gaan slapen...' Ze riep

41

hem met een klagende stem en hij gooide de hoorn op bed. Tussen haar kreten en kreunen door, hoorde hij de telefoon afslaan. Tutututu...

Hij draaide opnieuw. Het ding ging normaal over. Maar geen antwoord. Hij vloekte. Anna kwam kijken. 'U mag wel de dokter bellen,' zei ze, 'het is hóóg tijd.' Hij wees naar de telefoon, die weer afsloeg. 'Die zak neemt niet op,' riep hij met een rode kop. 'Jeetje, hoe moet dat nou?' zei Anna met een verschrikt gezicht. Zijn vrouw gooide ineens het laken opzij en wees naar haar buik. 'De vliezen zijn gebroken,' zei hij, 'ligt het zeiltje onder haar?' De kraamverzorgster knikte en vloog naar het bed. Terwijl hij weer opnieuw draaide, zei hij tegen Anna 'ligt alles klaar? Navelbandjes, gekookt water, handdoeken en zeep voor de dokter, het sluitlaken...?'

Hij verslikte zich zowat in het opnoemen. Anna zei: 'Ja, alles in orde' en ze hoorde hem tegen de telefoon vloeken. Tutututu. Hij schreef snel het telefoonnummer van de arts op en gebood haar: 'Bel jij maar net zolang tot die zak antwoord geeft. Ik help mijn vrouw.'

De persweeën werden steeds heftiger en vrijwel direct op elkaar. Ze schreeuwde het uit. Hij troostte haar en vroeg opeens: 'Kun je het inhouden?' Op het zelfde moment dacht hij: 'Rùnd, dat je bent. De natuur laat zich niet tegenhouden.' Hij hoorde haar bij een hevige wee roepen: 'Jezus!' en op het zelfde moment Anna aan de andere kant van het bed: 'Kom direct dokter, het kind zit er aan te komen!' Ze mompelde nog zo iets van 'hij had de telefoon niet gehoord', maar hij zelf zat geconcentreerd naar de schoot tussen de gespreide dijen van zijn vrouw te kijken en bij de volgende perswee zei hij wat ingehouden: 'Ik zie het kopje al, het schedeltje. Leg de navelbandjes en de schaar klaar Anna!'

Anna vloog eerst naar het bed, legde wat doeken onder haar, hield haar hand vast en zag hoe hij aan de wastafel zijn handen uitvoerig en schuimend waste en zijn nagels fel met een schuiertje borstelde.

Terwijl hij snel zijn handen afdroogde, schreeuwde ze: 'Het kòmt!!!'

In een paar stappen was hij bij haar. In de wijduiteen gesperde vulva zag hij het kopje naar buiten wringen. Op het zelfde moment hoorden ze buiten in de nacht een auto gierend en snerpend afremmen. Terwijl hij met twee handen het kopje voorzichtig omvatte, zei hij, opzij-sissend tegen Anna: 'Mààk de voordeur open! Vlug!!' Op het zelfde moment, dat zijn vrouw opnieuw een wee-kreet gaf, trok hij met het opstuwen voorzichtig aan het hoofdje, dat hij als een kostbaar kleinood tussen zijn gebolde handen hield, draaide het voorzichtig en opeens floepte het naar buiten.

'Het kopje is er al,' zei hij tegen haar, terwijl hij naar haar inbleke gezicht keek.

'Nog even flink zijn, meid.'

Hij hield de ene hand onder het hoofdje en met de gespreide hand zocht hij naar de schoudertjes van het kind, plaatste zijn duim en pink onder de armpjes en toen ze een ontzettende kreet gaf, gleed het kind op zijn stuwende handen naar buiten. Hij hield het meteen met het hoofdje naar beneden, totdat het begon te schreien.

'Je hebt gelijk, meid, het is weer een grietje!' zei hij met een juichtoon tegen haar, maar zag tegelijk hoe haar hoofd wit en wezenloos in de kussens lag. Snel knipte hij het klaarliggende navelbandje door, bond de navelstreng op twee plaatsen af en terwijl hij de laatste knoop legde, stormde de dokter binnen met Anna in zijn kielzog.

'Verdomme, een kib!' mompelde de arts. Maar hij antwoordde:

'Niks geen kippen, kijk eerst naar mijn vrouw.'

De dokter voelde haar pols, gaf haar een paar tikken op de wang en vroeg hem: 'Hebt u wat cognac?'

Terwijl de dokter zijn handen aan de wastafel waste, stond de opnieuw geworden vader gebogen over zijn vrouw en streelde haar. Ze sloeg de ogen op en vroeg met een benepen stem en trillende lippen: 'Is het kindje gaaf?'

Hij kuste haar en zei: 'Ja hoor! Héél gaaf en het is een meisje. Bedankt meid!'

Onderwijl de dokter de navelstreng doorknipte en het kindje aan de kraamverzorgster gaf om haar te wassen, haalde hij de cognac, het glas, het ei en de lepel achter het gordijn vandaan en klutste vlug en vaardig haar favoriete kraamdrank. Hij hield zijn ene hand achter haar hoofd en liet haar, met zijn andere hand aan het glas, voorzichtig drinken. Hij lachte haar toe, want hij zag dat er weer wat kleur op haar wangen kwam. Ze was volkomen op. Toen ze het glas leeg had en hij het naar de wastafel bracht, hoorde hij de dokter zeggen: 'Nu de placenta nog' en hij ging aan het bed staan en begon met ingehouden gebaren haar buik te masseren. Hoewel zij haar ogen gesloten had, praatte

44

hij toch maar tegen haar. Hij zei: 'Ik moet u tegelijk met mijn gelukwensen òòk mijn verontschuldigingen aanbieden. Ik vind het vreselijk dat ik te laat was en voor het eerst in mijn praktijk met een 'Kib'-geval te maken heb. Dat is geen beste beurt, maar ik was helaas vergeten de telefoon naar boven over te schakelen, toen ik naar bed ging. Weet U, ik ben nog vreemd en alleen in dat huis. Het is stom, sorry hoor! Maar uw man verdient een groot compliment. Hij heeft het voortreffelijk gedaan!'

Hij nam het kindje van de zuster over, die het intussen gewassen en aangekleed had en legde het in haar arm, terwijl hij de deken over haar heen sloeg. Ze keek, glimlachte, maar huilde toch een beetje. Menselijke gelukstranen. Haar man moest opeens aan het schriftwoord denken, dat een vrouw na de geboorte niet meer aan haar pijnen denkt. 'Verdomd, het klopt weer,' dacht hij, tot zij een gebaar maakte om het kindje terug te nemen. Ze wees op haar buik. De dokter sloeg meteen de deken terug en zag aan haar gezicht dat ze na-weeën had. De placenta zat er aan te komen.

'Eventjes nog, mevrouw. Even nog de tanden op elkaar.' Langzaam gleed de moederkoek naar buiten. De zuster gaf de steekpan aan en had het sluitlaken al onder de arm. Toen het geklaard was, zei de dokter: 'Ik kom direct nog even kijken en vanmiddag ben ik terug. Als de zuster u weer fijn opgefrist heeft, dan probeert u maar eens lekker te slapen.'

'Een cognacje of een gewoon borreltje dokter?' vroeg hij, toen ze beiden beneden nog even zaten na te praten. Het moest een cognac zijn. Toen ze de glazen hieven, begon de dokter zich weer te verontschuldigen. Hij wuifde die met een handgebaar weg en vroeg: 'U had het over kip of zo iets, toen u binnenkwam. Wat betekent dàt dan?'

De dokter lachte. 'Een soort vakterm. Het is geen kip, maar 'kib' met een b. Het betekent voor ons: "kind in bed". Een misser, zou je kunnen zeggen.'

Toen hij de dokter uitliet, zei die nog eens, dat hij alle respect had voor zijn doortastend handelen. 'We hebben het eigenlijk samen gedaan!'

'Dan ook maar een halve rekening!' antwoordde hij met een grijns.

De dokter grijnsde terug.

Het begon al licht te worden.

Toen hij weer boven kwam, stonden alle kinderen in hun nachtjaponnen en pyjama's stil en bewonderend met een opgetogen Anna en Greet, om het bed, terwijl zij het kind in haar armen had en het hen liet zien.

En hij glimlachte, toen hij het tafereeltje zag en dacht: 'Zo is het mooi, zo is het weer goed!'

Hij keek op zijn horloge of hij zijn bloemenhandelaar al kon bellen. Maar het was nog veel te vroeg.

Hij wenkte Greet en zei zachtjes: 'En nou de gebakken malse biefstuk voor mevrouw!'

Gaston Durnez

Echografie

'Ik heb het kindje al gezien!' riep zij, terwijl zij de deur openzwaaide.

Zij kwam binnen met haar gewone zwier en hijgde niet eens van het trappenlopen. Wel bloosde zij iets meer dan gewoonlijk. En haar aangezicht was wat scherper geworden. Maar dat werd door haar ronde buik ruimschoots gecompenseerd.

Zij liep van de ene naar de andere om goeiedag te kussen. 'Blijf je eten?' vroegen wij. 'Graag,' antwoordde zij, 'maar ik kan niet, ik moet thuis zijn tegen dat mijn Man er is.' (Man werd met een hoofdletter uitgesproken.) 'Hij zal wel benieuwd zijn.'

Zij wipte maar even binnen om het aandoenlijke meubilair op te halen dat wij voor haar hadden klaar gezet: een wat verkleurde hoge stoel, een roos badkuipje, een witte pot in een plastic zitbank, een toilet-koffertje. Allemaal dingen die bij ons tot rust waren gekomen. Zij keurde ze met een vlugge blik: 'Weerál zoveel bespaard!'

Terwijl wij een handje toestaken, vertelde zij vlug haar jongste bezoek aan de gynaecoloog. 'Alles dik in orde,' luidde zijn boodschap. En hij had haar via de echografie naar het kindje laten kijken. 'Via de wat?' vroegen wij. 'Da's zo iets om door je buik te loeren,' legde zij uit. 'Ik heb het zien liggen, helemaal op zijn plaats, heel fijn.' Zij legde haar hand op de bewuste plek. 'En het heeft tien vingertjes en... en àlles.'

Zij liep alweer de deur uit, naar het autootje waar-van wij ons afvroegen hoe zij daar nog zo fluks in kon.

'En is 't nu een jongen of een meisje?' riepen wij haar achterna.

'Dat heb ik niet willen vragen,' galmde zij. 'Er moet toch nog een beetje verrassing overblijven ook!'

Zij startte en vloog de straat uit.

Henri Knap

Vader worden

Terwijl de vrouw, die moeder wordt, kunstenaars in-
spireert tot uitingen van de hoogste levensgeest, is de
man, die vader wordt, meer een bron van vermaak.
Tegenover de Madonna's van de Renaissance staan de
moppige cartoons, tegenover de ontroerende gedich-
ten de sketches in de cabarets, en in de 'damesbladen'
– afschuwelijk woord; in de dagbladwereld spreekt
men gelukkig van 'vrouwenpagina's' – schilderen nota
bene vaders zichzelf als ongelukkige stoethaspels, die
het hoofdje van de zuigeling in een luier wikkelen,
dan wel, zodra hun vrouwen het huis hebben verlaten,
met brullende babies uren-lang ijsberen. Daar moeten
de lezende moeders dan superieur om glimlachen –
die onhandige mànnen toch!

Vooral de aanstaande vader, die in de gang op zijn
nagels staat te bijten, terwijl zijn vrouw in het kraambed ligt, die moet afwachten of er toevallig iemand uit
de kraamkamer zal komen om inderhaast een snipper-
tje nieuws te laten vallen over de stand van zaken in
dat heiligdom, die moet zitten handenwringen tot de
arts komt met het fameuze: ' 't Is een jongen!' of: ' 't Is
een meisje!' – vooral de aanstaande vader is door de
samenspanning van grappenmakers tot een karikatuur
gemaakt en tot een versleten gemeenplaats.

Er zijn vrouwen, die daar graag aan meedoen. Ener-
zijds scheppen zij zo een groter contrast tussen het ver-

blindende licht van haar moederschap en de duistere onbelangrijkheid van het biologisch vaderschap, anderzijds reserveren zij zo de geboorte tot de esoterische vrouwelijke gebeurtenis, die zij in de Middeleeuwen is geweest, toen zelfs de arts de geboorte niet mocht aanschouwen. Er is iets pathetisch in deze poging althans één gebied des levens te reserveren voor de vrouw, die door zoveel mannen krampachtig van zovele andere gebieden des levens is geweerd – een wraak, uit onrecht geboren.

Toch is die gekke aanstaande vader een stukje geschiedvervalsing, net als de jongeman, die bevend op de stoep van zijn aanstaande schoonvader staat om de hand van zijn meisje te vragen; vanouds her immers zijn solide jongemannen alle vaders van dochters zeer hartelijk welkom geweest. Er is veel veranderd in de verhouding man-vrouw, maatschappelijk en persoonlijk, en indien ik hoor, dat een vrouw haar man liever niet de geboorte laat bijwonen, vind ik maar één motief aanvaardbaar: dat zij haar man het zien en horen van haar lijden wil besparen. Wanneer zij haar man weert uit gêne – en ook dàt komt voor – vrees ik altijd met groten vreze voor de gezonde natuurlijkheid van zo'n huwelijk. En in elk geval moet de vrouw, die de man de kraamkamer ontzegt, weten, dat zij hem èn zichzelf berooft van een gezamenlijke belevenis, die voorgoed de innigheid en de tederheid van de huwelijksverhouding zal beïnvloeden.

Ook de arts, die tot stelregel heeft, dat de echtgenoot buiten de kraamkamer moet blijven, laadt een zware verantwoordelijkheid op zich. In ziekenhuizen bestaat het verbod tè dikwijls, soms met een beroep op de steriliteit van de kraamkamer – die niet bestaat, die steriliteit – dan weer met een beroep op de ervaring, dat aanstaande vaders zo vaak flauwvallen. Láát hem – duidelijker kan de stakker zijn meeleven niet tonen. Het bevallen in de grote gezondheidsindustrie van het ziekenhuis heeft wat dat betreft grote nadelen; ik ben dan ook, wanneer de bevalling niet thuis kan worden afgewacht, een groot vriend van een zogenaamd 'vrij kraambed', dat echtparen met weinig geld in staat stelt tòch samen de bevalling door te maken in de hygiënische omgeving met geschoolde hulp, die het ziekenhuis biedt.

Toen mijn oudste dochter werd geboren, wilde mijn vrouw graag, dat ik er bij zou blijven. 'Hij kan mijn hand vasthouden,' zei ze tot de grijze dokter, maar die wilde er niet van horen. 'Vaders,' zei hij, 'waren sta-in-de-wegs en flauwvallers.' Hij kon ze niet gebruiken. Mijn vrouw en ik waren jong; later hoorde ik, dat ik, als particulier patiënt, had kunnen zeggen: 'Wij *willen* het, en daarmee uit.' Maar dat durfden wij niet. Ik wilde ook, dat die bevalling zou gebeuren onder àlle positieve voorwaarden, die men maar kon verzinnen, want op het ogenblik, dat de partus voor de deur staat, denkt iedere vader ergens diepbinnenin, dat *zijn* vrouw de eerste op deze wereld is, die zó haar kind moet baren.

Zo zat ik beneden in een kamertje van het grote, lichte ziekenhuis uit het raam te kijken naar de gulle bloei van dahlia's en herfstasters in de zon, terwijl ergens boven in een zijvleugel mijn vrouw de laatste fase van de geboorte doormaakte. Tot de portier zijn hoofd om de hoek van de deur stak: 'Telefoon voor u.'

Het was de krant. Het dagelijkse grappige stukje, waarmee ik toen mijn brood verdiende, was er niet, over een half uur moest het ter zetterij zijn – of ik kans zag er nog even een te schrijven. Men zou een loopjongen sturen om het te halen.

Zo wilde de ironie van het lot, dat mijn vrouw en ik tegelijk in barensweeën verkeerden. Ik weet niet meer waarover ik dat stukje toen heb geschreven, maar de routine van de verplichte produktie deed haar werk, en ik schreef, 's morgens om half tien voor het open venster in dat onpersoonlijke vertrekje, met zijn onvergetelijke geur van bloemen en lysol. En toen ik om tien uur de grote hal inging, waar de loopjongen wachtte, kwam juist die bedaagde medicus, groot en massief in zijn witte jas, de brede trap af: 'Het is een meisje! Alles is in orde'.

Even later kuste ik het nat-bezwete gezicht van mijn vrouw; bij de vaste wastafel in de hoek werd het kind gereinigd. Het was een mooi kind, gelooft u mij. Niet àlle kinderen komen vuurrood en paars en gerimpeld ter wereld. Dit was een cherubijntje, zó weggevlogen van een fresco in een kleine Italiaanse kerk. Het was zó mooi, dat de zusters er speciaal naar kwamen kijken – zij waren althans zo vriendelijk ons dat voortdurend te zeggen.

'Wat heb jij zo lang gedaan?' vroeg mijn vrouw. Ik antwoordde: 'Ik heb gewerkt.'

En dàt is misschien de vijfde essentie van het vaderschap. *Ik heb gewerkt.*

Maar de geboorte van het tweede meisje heb ik bijgewoond, neen: meegemaakt is het woord. Ik heb de glimlachende moed en de onderworpen voortgedrevenheid van de barende moeder meegemaakt, en ik ben niet flauwgevallen, wèl diep ontroerd en zeer geïmponeerd, een onvergetelijke gebeurtenis, die mij pas van het kind, dat ik in diepste wezen nog was, tot man, en tot man van mijn vrouw maakte. Maar ik herinner mij ook de wat neerbuigende en zelfs medelijdende grappigheid, waarmee men gemeenlijk jonge vaders gelukwenst. Alsof ik er niets mee te maken had gehad. 'De kraamheer', weet u wel, nog te stom om een ketel warm water aan te geven, het mannetjesdier in paniek – zo van: 'Wat overkomt me nóu'.

In werkelijkheid heb ik mijn kinderen méé ter wereld gebracht. Mijn vrouw werd moeder, en ik werd vader. De beminde zien lijden is óók lijden.

De man hóórt bij zijn vrouw in de kraamkamer. Dan ziet hij voortaan achter elk kind een moeder. Het kàn hem hoffelijker maken voor vrouwen en vriendelijker jegens kinderen. En een man, die dat is, is een 'gentle' man – dus een gentleman.

Jacky Koning

'Kom kind, we gaan!'

Kind, wat had je een haast, zo nieuwsgierig als je was naar je leven op aarde. Je gaf me niet eens de kans op mijn gemak in het ziekenhuis te komen. En je was me zo lief, ik had je nog graag even vastgehouden; maar jij wou weg, geboren worden. Tegenstrijdig eigenlijk: iets dat je liefhebt, wil je juist graag vasthouden, en je moet het loslaten hoe zwaar het je ook valt. Anders kon jij niet leven, niet waar; en dat wilde je toch. Toen ik dat doorhad en er gevolg aan gaf, kreeg ik er iets heel liefs voor terug: een klein hoopje mens, zeven pond zwaar, drieënvijftig centimeter lang. Nu kon ik je pakken en vasthouden en knuffelen op een andere, maar even fijne manier. Zo zie je maar: aan alles komt een eind, kind; al is dat bij zoiets fijns als een zwangerschap nog zo jammer. Ik heb er steeds zo van genoten. God, wat voelde ik me geweldig, en zo sterk. Ik werkte als notuliste bij een revalidatiecentrum voor kinderen toen ik je verwachtte. Alle gebreken en behandelingsplannen voor de kinderen die er opgenomen waren, werden door de dokters gezamenlijk besproken en dat moest ik noteren. Maar nooit, nooit heb ik enige twijfel gekend dat je niet gezond zou zijn. Wat een arrogantie eigenlijk; welk extra recht meende ik te hebben op een gezond kind? Als je je tijdens het notuleren erg stilhield – wat op zich heel netjes van je was, want je was een beweeglijke baby – gaf ik je stiekem even een zetje; ik wist precies hoe je in mijn buik zat. Meestal kreeg ik dan direct een trap van je terug en daar moest ik weleens om grinniken. Lachen bij zoveel treurigheid – want er bestaat natuurlijk niets ergers dan zieke of gehandicapte kinderen. Maar ik werd daar toch niet angstiger door. Het voelde zo goed, ik wist me samen sterk met jou. Het idee dat ik negen maanden lang nooit alleen was door jouw inwoning. Als iemand me ergerde, werd ik voorheen kwaad. Nu betrapte ik me erop dat ik in zulke situaties mijn hand op mijn buik legde en zei: 'kom kind, we gaan!' Ik was me er heel goed van bewust dat je later nooit meer zo meegaand en gemakkelijk te vervoeren zou zijn. Van het begin af aan lag je al dwars en dat merkte ik vooral bij het zwemmen. Als ik naar de overkant zwom, deed jij – van linker- naar rechterzij – dapper mee, waardoor we samen nogal wat water verplaatsten. Alleen het door mij opzij geklauwde water was te zien. Jij wentelde je in het binnenbad van mijn vruchtwater. Ik genoot van je en ik had het gevoel dat we elkaar onderling beschermden. Ik jou tegen rondvliegende ballen op het strand en jij mij omdat ik ineens veel beter nee kon zeggen, vooral als ik wist dat het in jouw belang was. We voedden elkaar als het ware op en dat is ook later zo gebleven. Al vind je mijn regels nu weleens een beetje belachelijk; dat zie ik aan je, want je gezicht spreekt boekdelen.

We hebben nu een heel ander contact dan toen; je bent tenslotte alweer tien jaar. Maar ik vergeet nooit de allereerste keer dat we contact hadden. Ik dacht heel even dat ik honger had, maar na het eten bleef dat gevoel van binnen en daar werd ik helemaal stil van. Ik was toen vier maanden in verwachting en het kwam zo onverwacht dat ik het eerst niet eens kon thuisbrengen. Later heb ik juist dát gevoel het meest gemist; na je geboorte voelde ik een steek van jaloezie als ik een zwangere vrouw zag lopen. Uit verwachting zijn moet minstens zo wennen als in verwachting raken en groeien.

Marjan Berk

Omaatje

Marie was een vruchtbare vrouw. Zij baarde zes kinderen, had één abortus en drie miskramen en menstrueerde tot halverwege haar vijftiger jaren. Vruchtbaarheid betekent nog niet dat je van kinderen houdt.

Zij wel, vooral van baby's.

'De wieg moet vol,' dat had ze eens ergens gelezen en dat sprak haar aan, ze was het er eigenlijk helemaal mee eens.

Ze zag haar animale moederliefde als iets persoonlijks, zoals mensen ook honden fokten of orchideeën kweekten. Het had te maken met de heerlijke geur, die pasgeboren baby's verspreidden, met het prettige samentrekken van haar baarmoeder, wanneer zij haar kinderen zoogde. Andere vrouwen klaagden, wanneer de zwangerschap vorderde en de dikke buik bijna niet meer te torsen viel. Marie genoot van haar zwangerzijn. Zodra ze veertien dagen over tijd was, stak zij haar buik al flink vooruit, in de hoop, dat de mensen het haar zouden aanzien. Ze voelde zich als een bloeiende hortensia, zwangerschap gaf haar identiteit en geluk.

Wanneer het uur van baren sloeg, kwam Marie helemáál tot haar recht. Ze genoot intens van het hele proces en het moment van uitdrijving beleefde ze als een ongekend intens orgasme, een hoogtepunt.

In de tussenliggende jaren, als er even geen zwangerschap viel te beleven, toonde Marie gretige belangstelling voor alle vriendinnen en buurvrouwen die in gezegende omstandigheden verkeerden. Ze gaf advies, beklopte de zwellende buiken en luisterde ook geduldig, naar alle verhalen en vragen van het aanstaande moedertje. Ze werd, terecht, beschouwd als een expert. Haar belangstelling was zakelijk, nooit opdringerig of overdreven, nee, het was van een echtheid, een zuiver meeleven, dat niet veel voorkwam. Ze was geobsedeerd door geboorte.

Toen zij op haar veertigste haar zesde kind wierp, kwam haar man met een schokkende mededeling.

'Zo is het genoeg, Marie,' zei hij en aan de toon van zijn stem hoorde ze, dat het hem ernst was.

De eerste tijd nam het nieuwe kindje al haar aandacht in beslag, bovendien werkte Marie ook nog altijd parttime op een notariskantoor, iets, dat zij nooit had opgegeven, het hield haar geest soepel en haar portemonnee gevuld, zei ze altijd, wanneer mensen verbaasd vroegen, hoe ze dat toch deed met al die kinderen.

Van het geld, dat ze met haar werk verdiende, kon ze gemakkelijk een goeie hulp voor het zware werk betalen en zo hield alles elkaar heel prettig in evenwicht. Ze was ook niet zo'n moederdier vervuld van apeliefde, ze beschouwde al haar kinderen als mensen, al waren ze nog zo klein. Niks geen kleinerend gedoe of kleinhouwerij, het waren gewoon haar vrienden, haar kinderen. Maar de behoefte, de sterke drang om iets in je te voelen groeien, om het er uit te persen, om het te laten drinken aan je borst, nam niet af. Dat was het gekke.

Ze begreep dat Jan, haar man, eigenlijk gelijk had. Ze werd nu toch echt te oud om nog zwanger te zijn. En de kans om een mongool of een kind met een afwijking te krijgen nam na je veertigste toe, daar moest ze niet aan denken.

Toen de jongste uit de box ging, kreeg ze weer dat gevoel.

En de wieg zou niet meer vol raken, de wieg stond nu op zolder.

Haar man merkte haar onrust en bracht een hondje voor haar mee, zes weken oud, een lief klein hondje, dat wel eventjes haar honger naar 'pasgeboren' stilde. Maar niet lang.

Ze begon te praten over kleinkinderen. Haar man lachte haar vriendelijk uit, het grootvaderschap had totaal geen glamour voor hem, het stempelde je meteen tot een ouwe vent.

Marie merkte, dat hij er op afknapte en hield verder haar mond.

Haar Jan voelde zich nog een jonge vent, met zijn goed geconserveerde lijf, hij was in twintig jaar nog geen grammetje aangekomen, nee, daar deed ze fout aan, dat moest ze maar niet meer doen.

Maar ze waste wel zorgvuldig alle babykleertjes en borg ze motvrij op in grote plastic zakken, ook alle speelgoedbeesten en ander afgedankt speelgoed werden heel precies opgeborgen.

Ze legde een bibliotheek aan van alle kinderboeken, het waren er zo langzamerhand wel tweehonderd bij elkaar. Als een hamster zorgde ze, dat later het eerste kleinkind voorzien zou worden van alles, waarmee haar eigen kinderen waren opgegroeid.

Of toekomstige schoondochters en -zoons dat nu wel zo leuk zouden vinden, hun nieuwe kind met al die ouwe rotzooi van hun schoonmoeder, daar dacht Marie maar even niet aan.

Haar kinderen groeiden voorspoedig op, deden eindexamen op allerlei middelbare scholen, gingen studeren of kozen een vak. Eén buitenbeentje had Marie gebaard, één kind ging een totaal eigen weg, zo'n vreemde weg, dat het Marie en Jan wel eens moeilijk viel om het allemaal te begrijpen. Maar dan zagen ze de gelukkige jongen, anders dan de anderen, hij was groot en mooi en stralend en dan wist Marie dat het zo goed was. Wanneer haar kind zo gelukkig was op zijn eigen manier, dan deed het er allemaal niks toe.

De andere vreeën, deden ervaring op en kozen daarna een partner, waarmee ze gingen hokken. Marie's hoop op kleinkinderen werd weer leven ingeblazen.

'Doe dat nou niet, Marie,' waarschuwde Jan, 'praat nou toch niet steeds over kleinkinderen, je maakt het ze nog tegen.'

'Je hebt gelijk Jan,' moest Marie toegeven, maar ze kòn het niet onderdrukken, ze mòest haar nieuwe schoonkinderen de heerlijkheden van kinderzegen voortdurend onder het oog brengen, met de zachte aanmoediging om daar vooral niet te lang mee te wachten.

Op een dag raakte haar dochter zwanger. Het meisje leefde al ruim een jaar samen met een serieuze vriend. Marie zag daar in een nabije toekomst toch wel, nou laten we zeggen drie kleinkinderen over de vloer.

Haar hart bonsde van opwinding, toen haar dochter haar het grote nieuws vertelde. Maar daar ging meteen de domper op, toen Loes haar zei niets voor het moederschap te voelen, ze zat nog midden in haar studie en ze kon geen kinderen aan haar kop hebben.

Zwakjes betoogde Marie, dat je heel goed kon studeren met een kind en bovendien zij, Marie, kon er toch op letten en voor zorgen? Niets liever!

'Laat 't nou maar komen, je zal zien, dat 't je leven rijker maakt.'

'Rijker? Ach schat, een kind is niet te betalen tegenwoordig. Als dat stomme spiraal het niet had begeven, had ik er niet eens over gepeinsd.' Haar dokter regelde een keurige opname in het ziekenhuis, ze hoefde er maar één dag te blijven, en dat was dat. Daarna zou ze aan de pil gaan.

Marie zei maar niks meer. Ook niet tegen Jan. Ze voelde zich erg alleen.

Ze dacht aan haar eigen abortus, die indertijd onvermijdelijk was. Direct na de geboorte van haar vierde kind, ze had het zelfs nog aan de borst, was ze weer zwanger geraakt. De dokter had er toen op gestaan, dat de vrucht werd verwijderd.

Marie begreep, dat het voor iedereen beter was, maar het had heel lang geduurd, voor ze zich had verzoend met de gedachte, dat ze een mooi gaaf ei, dat in haar groeide, had kapot gemaakt en belet uit te groeien tot een baby.

Ze zou nooit het moment vergeten, dat ze uit de narcose bijkwam en zich afschuwelijk leeg voelde. Lang en onbedaarlijk had ze gehuild, de zuster vond, dat ze zich aanstelde.

Nee, dan haar dochter, die sprak er na afloop over, alsof haar blindedarm er uit was gehaald, alleen maar opluchting.

Marie zag haar kinderen regelmatig, ze vroeg ze te eten, ze kwamen graag, want ze kookte heel lekker. Alleen haar ene zoon, het buitenbeentje, zag ze soms in geen maanden. Ze wist ook nooit, waar ze hem kon bereiken. Soms belde hij haar midden in de nacht, ze schrok zich dan dood, was bang dat er iets ergs was gebeurd. Maar hij lachte haar angst weg.

'Kom ma, fok je niet op over mij, ik bel alleen maar effe om te horen, hoe 't met je is!'

Ze hoorde op de achtergrond luid lachen en praten, en harde muziek, rock en roll.

Dolblij was ze, wanneer hij kwam binnenvallen, om te douchen of te eten.

Ze hield verschrikkelijk veel van hem, maar haar intuïtie zei haar zich niet met zijn zaken te bemoeien, dan zou hij wegblijven.

Ze vroeg wel eens, o zeker, heel voorzichtig, naar een meisje, vriendinnen. Dan lachte hij haar hartelijk uit.

'Veel ma, veel meiden! Maar geen vaste, ik kijk wel uit!'

Eén keer bracht hij een rank veulen mee, hoog op de benen, grote bruine ogen, een vrolijke en brutale meid. Ze mocht haar direct. En hoopte...

Maar de volgende keer was het alweer uit. Ze vroeg maar niet meer.

Een van haar schoondochters was over tijd. Haar zoon vertelde het haar. Marie was enthousiast. Maar 's middags hing Liesje al aan de lijn.

'In godsnaam ma, maak je niet blij met een dooie

mus. Zelfs als ik zwanger zou zijn, dan doe ik er toch wat aan. We zijn nog lang niet aan kinderen toe!'

Marie vroeg zich af, wanneer je tegenwoordig dan wel aan kinderen toe was, vroeger vroeg niemand zich dat af. Ze kondigden zich aan, ze kwamen misschien wel eens ongelegen, maar je accepteerde het en was er blij mee. De tijden waren duidelijk veranderd.

Haar zoon belde, Liesje was gelukkig ongesteld geworden.

O verdomme, Marie was kwaad. Ze vonden het wel nodig om haar precies op de hoogte te houden van de stand van hun eierstokken en baarmoeders, maar hoe zij zich daarover voelde, dat vroeg niemand zich af.

Ze beklaagde zich bij Jan. 'Zit die kinderen toch niet zo achter hun vodden, je lijkt verdomme wel een ouderwetse pastoor!'

Toch kocht hij bij wijze van troost een cadeautje voor haar; een groeibriljant.

'Hier,' zei hij, 'iets dat groeit.'

Marie keek naar het glimmende stukje steen, het liet haar ijskoud.

De dag brak aan, dat haar zoon Robert ging trouwen met Ans, een harmonische combinatie, Marie zag het helemaal zitten en zelfs haar Jan maakte in zijn speechje aan het bruiloftsmaal een kleine toespeling op Marie's grote wens, kleinkinderen.

Maar na afloop trok Robert zijn moeder even naar zich toe.

'Ik had het je al eerder willen zeggen, ma. Ans en ik zijn niet van plan om kinderen te nemen. We laten ons allebei steriliseren. We vinden het absoluut onverantwoord om in deze wereld kinderen te maken.'

Marie hapte naar adem. Haar gezellige Robert, geboren vader, zelfs hij liet het afweten.

's Nachts huilde ze een poosje in Jan's armen. Hij wist haar niet goed te troosten, het deed hem niet zoveel allemaal, maar hij wist, wat het voor Marie betekende. Het was duidelijk, haar kinderen hadden geen zin, ze verdomden het om zich voort te planten en kleinkinderen kwamen er niet.

Ja toch, één.

Koos, haar buitenbeen, levend aan de rand van de zelfkant, zelden binnen Marie's zicht, had op verzoek een kind verwekt. Het was een nuchtere afspraak, het meisje wilde wèl een kind, maar geen vader. En Koos was een ideale verwekker, groot, blond en sterk, daar wilde zij zich wel mee vermenigvuldigen.

Er kwam een prachtige baby van, achteneenhalf pond, blonde haartjes, blauwe ogen, met de neus van Marie. Maar Marie kwam het niet te weten, ze kon geen offeranden aan haar kleinzoon brengen, haar moederbeestgevoel kreeg niet de kans zich te laven aan de nieuwgeborene, ze zou nooit de heerlijke lucht van kleine nieuwe haartjes op zijn kloppende fontanel mogen inademen.

Nooit.

Waar zou ik hier kunnen bevallen?

Toen de telefoon ging, zaten we net gezellig te kibbelen over de muziek die bij onze begrafenis moest worden gespeeld. Het was zo ver nog niet, maar je wist maar nooit.

'Als je accordeonmuziek wilt, kun je net zo goed die lui Mieke Telkamp laten draaien. Dat komt op hetzelfde neer,' zei mijn vrouw, die me mijn slechte smaak alleen bij mijn leven gunde.

We werden het snel eens over Jacques Brel, maar de vraag was of *Ne me quitte pas* niet te sentimenteel was. *Le Moribond* met die prachtige regel dat het hard is om in de lente te sterven, was misschien wel het meest geschikt. Vervolgens liepen we vast op The Beatles.

'*I'm down* kun je niet doen. Om te beginnen is het veel te hard en bovendien zullen ze denken dat je de spot drijft.'

'Denk je dat het je dan nog veel kan schelen wat de mensen vinden? Maar, oké. Wat vind je van *Things we said today*?'

'Dat is een mooi nummer, maar het is ook al weer van Paul McCartney.'

Door de telefoon kwamen we even niet verder.

'O, hallo,' hoorde ik mijn vrouw na een lange aarzeling zeggen. 'Dat is lang geleden.' Aan de andere kant begon iemand een heel verhaal.

'Wie?' vroeg ik geluidloos. Ze bedekte de hoorn.

'Pauline,' zei ze. 'Zou die gynaecoloog nog steeds bestaan? Ze is zwanger.' Ze luisterde weer naar de andere kant.

'Wat? Nee, ik zei even iets hier in huis. Ja, we zijn nog steeds bij elkaar. Ja, dat is onderhand al een hele tijd.'

De vorige maal dat Pauline zwanger was, leefden we in het vreemde tijdperk dat de pil al bestond, maar abortus een verboden zaak was. In de damesbladen stonden bij voortduring artikelen over de vreselijke bijwerkingen van de pil. Vliegen in gezelschap van Palestijnse terroristen was bijna even gevaarlijk als het slikken van dit hormoonpreparaat en dat schrok af. Er waren geruchten dat de bladen die in bezit waren van een uitgeverij met een roomse achtergrond, die artikelen op gezag van de paus van Rome afdrukten. Welke uitwerking het op Pauline had, was niet geheel duidelijk. Zij was er in ieder geval in geslaagd om zwanger van haar vriend te raken op een moment dat het niet gelegen kwam. De vraag hoe je het voorkwam, was niet meer van belang. Wie wist voor haar een vrouwenarts die haar zou willen helpen? Liefst een in Amsterdam, eventueel in Noord-Holland. Er gingen verhalen dat je de handeling in Polen kon laten verrichten in ruil voor een tricot-nylon overhemd of in Tsjechoslowakije voor een paar nylons van veertig denier, als je maar connecties had. Daar draaide het nu net om. Ze had geen connecties en de tijd begon te dringen.

Nu hoorden we het bericht van haar gezegende toestand via de telefoon, maar in die tijd verspreidde het verhaal zich via de koffiekamer van de universiteit en diverse cafés. Ik hoorde ervan toen we de nieuwste Boudewijn de Groot bij iemand thuis zaten te draaien, die al in het bezit van een installatie was met losse versterker en boxen en een draaitafel van Engelse of Zwitserse makelij. In dat circuit viel ook de naam van een vrouwenarts bij wie je moest zeggen dat je dacht dat je zwanger was. Daarna onderzocht hij je zogenaamd, maar in werkelijkheid pleegde hij dan abortus. Dat wou zeggen, mits je discreet een envelop overhandigde met enkele biljetten van honderd gulden erin.

'Nu is ze dolblij,' zei mijn vrouw. 'Ik was al bang dat ik weer mee zou moeten, toen ze over de auto begon. Ze had me gezien toen ik de boodschappen in de achterbak deed, maar ik was net te vlug weg.'

Volgens mij was ze net niet vlug genoeg geweest.

Pauline woonde met haar nieuwe man een paar straten bij ons vandaan. Hij had per se de auto nodig voor zijn werk en met het openbaar vervoer was het streekziekenhuis niet te bereiken. Je kwam er wel binnen een dag, maar dan was je al zo veel tijd kwijtgeraakt dat de thuisreis niet meer zou lukken.

'Ik wil niet dat je haar geld leent,' zei ik. 'Het is al erg genoeg dat je haar brengt.'

'Waarom zou ze geld willen?'

'Waarom denk je dat ze naar zo'n afgelegen kliniek wil?'

De vorige maal was mijn vrouw ook al als chauffeur opgetreden. Pauline en zij zaten samen op volleybal en zij was een van de weinigen met een rijbewijs. Als de club uit speelde, leende ze de auto van haar vader om haar teamgenoten te vervoeren. Zo had ze Pauline na de abortus ook weer naar huis vervoerd.

Ik had Pauline al te lang niet meer gezien. Vervoer kon ze gebruiken, maar geld had ze niet nodig. Wij konden het eerder van haar lenen. Haar nieuwe man was echtgenoot nummer drie. Hij zat in de automatisering en had een huis dat minstens een ton meer waard was dan het onze.

Het ziekenhuis dat Pauline had uitgezocht was een van de weinige plaatsen waar je in een zwembadje kon bevallen. Daarop had ze haar zinnen gezet.

'Ze heeft ook al een nieuwe verloskundige. Met de vorige had ze ruzie gemaakt omdat die nog helemaal opging in de methode-Lamaze.'

Zonder het te weten paste ik die op mezelf toe toen ik die mededeling kreeg. Ik keek glazig naar de televisie zonder op het programma te letten en ademde diep in en uit. Een oppervlakkige observator zou kunnen zeggen dat ik zat te suffen en in een hazeslaapje dreigde te sukkelen, maar dokter Lamaze had die aanpak exclusief bedacht voor vrouwen om de aandacht van de bevalling zelf af te leiden.

'Luister je eigenlijk wel?'

'Waarom is ze eigenlijk zwanger geworden? Kan ze niet gewoon stiefmoeder voor de kinderen van die nieuwe vent zijn?'

Het antwoord daarop kreeg ik op het feestje dat Pauline had georganiseerd. Gelukkig was ik in de loop der jaren ook iets aangekomen, want anders had ik me er niet echt thuis gevoeld. Buiten de gastvrouw liepen er minstens vijf andere zwangere vrouwen rond. Pauline zat op de vloer tegen een stevig bruin ribfluwelen kussen geleund. Ze kwam vanuit haar kleermakerszit langzaam en beheerst overeind om haar cadeautje in ontvangst te nemen, alsof ze op oliedruk werkte. Ik keek naar de kussens op de grond en vond het jammer dat we geen CD van Boudewijn de Groot hadden meegenomen. Helemaal omdat er op het feest muziek opstond die door zijn monotonie vermoedelijk relaxerend was bedoeld, maar mij alleen maar in de richting van de drank dreef.

'Wat een prachtig, aards gezicht, nietwaar?' zei haar man en hij schonk zich een jus d'orange in, keek aarzelend naar de wodka, maar liet hem toch staan. 'Het is het dinsdagmorgenclubje van Pauline. Ze gaan dan met zijn allen naaktzwemmen. Moederdieren onder elkaar, strikt verboden voor mannen. Proost.'

Ik deed onwillekeurig meer wodka in mijn glas dan ik me had voorgenomen.

'Wanneer is de jouwe uitgerekend?'

De schrik dat hij misschien dingen wist die mij onbekend waren, was snel voorbij, maar het kwam wel even hard aan.

'O, jij hoort bij die oude vriendin van Pauline. Ik dacht even dat ik je kende van de yogalessen voor nieuwe vaders.'

Hij keek me peinzend aan. 'Jullie hebben twee kinderen toch?'

Ik vroeg me af waar hij met die vraag heen wilde. Moesten we soms ruilen?

'Hoe is dat jullie gelukt?'

'Denk je dat het anders is gegaan dan bij jou?'

'Vast en zeker. Ik mocht mijn wolkje melk niet op de klassieke manier bijdragen. Een strenge zuster kwam het bij me halen. Het viel me mee dat ze niet op de deur van dat kamertje stond te bonken of ik nog niet klaar was. Maar kijk, het is dan toch gelukt. Voor het eerst en dat geldt zowel voor mij als voor Pauline en we hebben toch heus niet op elkaar gewacht om met seks te beginnen. Leve de medische wetenschap.'

'Als het een meisje is noemen we haar Louise Fréderique en als het een jongen is Louis Frederik.'

'Laten we hopen dat het geen tweeling wordt.'

'Bedoel je dat we dan een meisjesnaam of een jongensnaam te kort komen?'

Ik vond het meer een probleem als het een twee-eiige tweeling zou worden.

'Fréderique heb ik zelf bedacht. Dat is overigens niet zo moeilijk als je Fred heet, maar Louise hoort er ook bij. Zonder dat kind zou Pauline nooit zwanger zijn geworden.' Hij legde me uit dat hij het over de eerste reageerbuisbaby had. 'Als dat kind niet had bewezen dat het technisch allemaal kon, had ik net zo goed mijn wolkje melk in de koffie kunnen deponeren.'

Nou vind ik kwakkie ook een ordinair woord, maar waarom kon hij niet gewoon zeggen dat hij zijn zaad op de rotsen had moeten blijven storten?

'Wat vind je van de namen verder? Ik bedoel gewoon als je ze hoort, zonder dat je de achtergrond weet?' Hij wachtte mijn instemming niet eens af. 'We zijn godzijdank de tijd voorbij dat een kind maar één naam mocht hebben. Vroeger als ik bij vrienden kwam, struikelde ik over de Brechtjes en Klaartjes en over de Annes voor beide seksen. Gelukkig mag twee namen weer. Stel je voor dat je als kind later tot de ontdekking komt dat je niet Brechtje wilt heten en je hebt helemaal geen uitwijkmogelijkheid? Hoe hebben jullie het eigenlijk met jullie kinderen gedaan?'

'Is die nieuwe XM die voor de deur staat van jou?' vroeg ik om hem te beschermen voor een klein sociaal incident. Wat had hij te maken met de naamgeving van mijn kinderen?

Hij begreep de hint niet en er zat niets anders op dan mijn glas nog eens vol te tanken om aan hem te ontkomen.

We lagen in bed, maar eerst reageerde ik niet. Pas toen ze voor de tweede keer aan me zat, wou ik het geloven.

'Au, verdomme. Wat doe je nou? Je knijpt.'

'De kunst is juist om je te ontspannen,' zei mijn vrouw.

Ik tastte onder de dekens en wreef achter op mijn enkel. Het deed gemeen zeer.

'Dat noemt Pauline de aanpak van Bradley.'

'Begin niet over iets anders. Ik vroeg waarom je me knijpt.'

Een Amerikaanse dokter had bedacht dat bevallen pijn doet. Ook al rook het heerlijk naar wierook en sandelhout en stond je lievelingsmuziek op en waren er minstens drie vriendinnen aanwezig die je met geurige olie masseerden, dan nog deed het pijn. Zijn stelling was dat je niet instinctief moest reageren op die pijn, maar erin mee moest gaan. Dan had je kans dat je niet verkrampte. De beste tactiek was om je te leren ontspannen als je pijn voelde. De taak van de liefhebbende echtgenoot was om onverwacht te knijpen, zodat er een pijnscheut door je heen trok alsof de weeën waren begonnen.

Ik vond dat je onder de deken andere handgrepen

71

moest doen en bovendien klonk het verhaal van Bradley even eng als de theorie die ik ooit in een levensgeschiedenis van de heilige Franciscus had gelezen, of misschien was het die van Antonius. De heilige had vreselijk last van hoofdpijn en de middeleeuwse arts wist te verzinnen dat je de pijn dan moest zien weg te leiden. Dat kon bijvoorbeeld door de patiënt met een gloeiende breinaald in zijn gehoorgang te steken. De borst lag te ver af, maar het oor was ideaal. Zelfs als kind had ik al in de gaten dat er aan de theorie van de pijnafleiding iets niet klopte.

'Laat dat!' zei ik waarschuwend. 'Bovendien ging ze toch onder water bevallen. Dan ontspant ze zich wel vanzelf.'

'Dat gaat niet door. Ze gaat het nu vermoedelijk rechtop doen, als de meubelmaker tenminste op tijd de bevalkruk kan leveren.'

Ik kon me voorstellen dat ze toch maar niet voor het zwembadje had gekozen. Het verhaal dat de baby negen maanden onder water had geleefd en het niet in de gaten had dat hij nog enkele minuten langer in het nat verbleef, wou er niet echt bij me in. De mens was niet gemaakt om onder water te blijven. Pauline had echter een andere reden. Haar man had het afgeketst.

'Hij wil bij de geboorte aanwezig zijn.'

'Maar hij mocht toch juist mee het zwembad in?'

'Ja, omdat iemand de drollen moest opvissen.'

De wereld van de man was een beperkte. Ik had bij de geboorte van mijn eigen kinderen alleen maar in de weg mogen lopen en als ik zelf niet opdringerig had gedaan, had ik nauwelijks kunnen controleren of de dokter van het ziekenhuis niet na de geboorte razendsnel ons kind met een minder mooi exemplaar had willen verwisselen. Dat door al het gepers tijdens de bevalling ook de ontlasting naar buiten kwam, was ik al lang weer vergeten. Als je in het zwembad wilde bevallen, werd daar veel meer op gelet vanwege het grote infectiegevaar in het water. Het liefst pasten ze dan een klisma toe op de kraamvrouw, maar dat garandeerde niet echt dat de darmen helemaal schoongespoeld waren. Voor de ontlasting die toch nog naar buiten kwam, hadden ze een assistent-putjesschepper nodig, een ideale rol voor de aanstaande vader.

'Pauline zei dat hij een soort schepnet zou krijgen om de viezigheid uit het water te vissen en daar bedankte hij voor.'

Op latere leeftijd voor het eerst jonge ouders worden was een gebeurtenis die je niemand kon aanraden. Ik werd een beetje moe van de langdurige telefoongesprekken over Apgar-scores, de resusfactor en de vraag of de moderne papieren luier ook geschikt was om 's nachts te dragen.

'Heb je haar al de opvatting van die Engelse dokter verteld? Die vindt dat mensen er verkeerd aan doen om al hun energie en hun vrees te besteden aan de grote dag van de bevalling. Die zaken hebben ze namelijk nog hard nodig voor de volgende achttien jaar.'

'Ze dacht dat die buikpijn gewoon psychisch was,' zei mijn vrouw zorgelijk. Ze had mijn aandacht nu.

'Hij klaagde de laatste tijd voortdurend over een stekende pijn in zijn onderbuik. In de gespreksgroep vond iedereen dat een teken van jaloezie. Hij concurreert natuurlijk vreselijk met die baby. Dat geldt voor alle aanstaande vaders, maar dat hij het zo zou gaan spelen had ze niet verwacht.'

'Misschien is die Fred kinderachtiger dan we dachten. We kennen hem nauwelijks.'

'De dokter vond anders van niet. Die heeft onmiddellijk de ambulance gebeld.'

'Greep het haar dan zo aan?'

'Nee, voor hem natuurlijk. Hij had een acute blindedarmontsteking. Misschien gaat hij wel op dit moment onder het mes. Of zou het toch psychosomatisch zijn?'

'Wat denk je? Zou die zwangerschap van haar ook psychisch zijn?'

'Doe niet zo raar. Ze voelt de baby toch en ze heeft ook al een foto van de echoscopie gekregen. Daar kan je de baby al bijna op zien.'

Ik kende het prentje, maar als je mij had gezegd dat er een blindedarm op stond, zou ik het misschien ook hebben geloofd.

Pauline stond er nu alleen voor en dat betekende dat alle vriendinnen meer tijd in haar moesten steken. Ik overwoog buikpijn te simuleren toen ik voor mezelf en de kinderen een blik soep stond op te warmen, maar er was niemand in huis om zich daarover ongerust te maken. De zekerheid dat een zwangerschap niet meer dan negen maanden duurde, ook al bestond er niets anders in je leven meer, hield me van queruleren af.

'Voor jou,' zei ik automatisch toen de telefoon weer eens ging. Ik vond het zelfs niet meer nuttig om aan te nemen.

'Natuurlijk breng ik je,' hoorde ik mijn vrouw zeggen. 'Nee, ik vind het niet te ver.' Ze legde haar hand op het mondstuk. 'Pauline,' zei ze overbodig. 'De weeën zijn begonnen en ze was pas over tien dagen uitgerekend. Ze is helemaal in paniek.'

'Breng haar gerust naar die kliniek,' zei ik met een groots gebaar. Een halve dag investeren om negenenhalve dag te winnen, zo'n kans moest je niet laten lopen.

Het was al zo laat dat ik ongerust begon te worden, toen de telefoon opnieuw ging. Ik nam nu onmiddellijk op.

'Kan je me komen halen? Ik kan geen pap meer zeggen.'

'Maar jij hebt de auto. Is er iets gebeurd? Hebben jullie een aanrijding gehad?'

'Nee, alleen maar een halve bevalling onderweg. Ik bel hier vanuit het ziekenhuis. Het was niet verantwoord om nog helemaal naar die kliniek te rijden. Ze liggen met zijn drieën op dezelfde kamer.'

'Een drieling? Heeft ze een drieling gekregen?' Ik had gelezen dat de moderne manier van zwanger worden de kans op een tweeling aanzienlijk vergroot, maar een drieling was toch weer even iets anders.

'Nee, het is gewoon een jongetje, maar Pauline heeft een privé-kamer voor haarzelf, en haar man en het kind liggen er ook.'

'O, je bent hier in de stad,' zei ik sloom. 'Maar dat wou ze toch niet, ze wou toch speciaal bevallen?'

'Had je het kind liever op onze achterbank geboren zien worden? Ik was blij dat ik haar nog net op tijd kon afleveren. Pauline beweert dat ze zich zo goed heeft leren ontspannen dat ze de weeën nauwelijks voelde.'

Ik luisterde maar half. 'Wie moet het kind nu aangeven?' zei ik. 'Moeder en vader liggen allebei in het
ziekenhuis.'

'O, ze heeft gevraagd of wij dat willen doen. Louis
Frederik hebben ze hem genoemd.'

Dat wist ik al. De laatste tijd had ik de geboorte-
advertenties in de krant eens goed bekeken. Twee namen was inderdaad erg in, maar drie namen zag je ook
heel veel. Voor later was dat wel zo makkelijk, dan
had je als tiener een ruime keuze als je eens wat anders
wilde dan je ouders. Misschien waren behalve het kind
ook de ouders me wel dankbaar als ik er een derde
naam bij deed. Louis Theo Frederik liet ik over mijn
tong rollen. Het klonk beter dan Louis Frederik Theo.
Ik hoefde nu nog niet te beslissen. Onderweg naar de
burgerlijke stand was er nog tijd genoeg. We waren
tenslotte een soort peetouders en ik had tot nu toe
eigenlijk alles door mijn vrouw laten doen. Het werd
tijd dat ik zelf ook eens wat deed.

Cri Stellweg

Grootmoeder worden

Ter wereld komen, opgroeien, vrijen, zelf ter wereld brengen, weer verder groeien en dan door het eerste breekbare licht gaan van je zoveelste nieuwe morgen in successie, naar de plek waar jouw kind haar kind ligt te krijgen, dat is wat. Dat is goed. Dat betekent dat een verhaal straks kan worden verder verteld, een nieuwe schakel wordt gelegd, het mensdom weer voort kan, straks. Straks. Want in de verloskamer gaat nog de oude paradijsvloek haar gang, in smarten wordt daar door mijn kind het hare gebaard.

In de wachthal mag worden gewacht, door onder anderen aanstaande grootmoeders als ik. De ruimte verklaart door middel van strenge stucwanden koud te zullen blijven bij welke emotie dan ook. De asbak is volgemaakt door iemand die met ontzaglijk veel kracht en vlijt steeds nieuwe peuken heeft uitgedrukt. Een kop waarin koffie zat is tot aan de laatste drup leeggedronken. Waarop werd hier eerder gewacht? Misschien wel op het afsterven van iemand. Toen het licht werd, was het wachten gedaan. De ruimte is leeg op de onrust na.

De deur van de verloskamer is juist om de hoek van de wachthal. Ik wist 't niet. Ik kom erachter doordat 'k wat rondslof, de lattenzitting van de bank is hard. Dan hoor ik een geluid dat me bekend is en vertrouwd aan mijn gehoor vanaf de dag dat ik achter een deur het kind ter wereld bracht dat nu achter een andere deur bezig is met terwereldbrengen. De jaren hebben aan dat geluid gevijld, hebben het gepolijst, het diepte en kracht gegeven. Toch is het nog altijd het geluid dat ik tussen duim en wijsvinger uit talloze andere zal halen, zeggende: dit is het geluid van haar die mijn kind is.

Het jammert nu. Het beklaagt zich. Zoals ik het zich vele malen heb horen doen, over zo uiteenlopende zaken als: een trekeend die kapot was gegaan, een onverdiende mep, de kapper die een debielenkop had geknipt, een persoon die wegging terwijl zij Blijven! riep. Nu jammert en beklaagt het zich over wat gebeurt aan het eind van een zwangerschap en achter de deur van een verloskamer. Ik hoor het en sta stijf en voel hoe een heel oud, wat slaperig geworden, instinct zich roert. 't Is de beschermingsdrift die toch maar weer eens een keertje in de aanval wil. Zo zie ik die brede, pastelblauwe deur waar ik net langs slof en het discrete metalen etiketje op ooghoogte: Verloskamer.

Ik hou die deur van nu af scherp in de gaten. Daar komen soms mensen uit. Een meisje, nòg een meisje. Met vlotte pas en dansend floddermutsje gaan ze de hal door. Ik noteer de ongewone bedeesdheid in de stem waarmee ik vraag naar het hoe en wat van de vorderingen daarbinnen. Het antwoord is als een zeepbel zo glad, luchtig en inhoudloos. 'O, alles gaat prima.'

Natuurlijk gaat alles prima. Wat ik weten wil is hoevèr is het gegaan. Hoeveel vorderingen zijn er gemaakt. In welke fase van de aflevering van het eindprodukt is men beland. Wat ik bedoel is: zal er nog lang, zal er nog veel reden tot jammeren zijn. Een wat ouder meisje trekt op haar beurt De Deur aan deze kant achter zich dicht. Ze heeft bloedsporen, kersrood op het sneeuwwit van de schort. Ik hoor een nòg bedeesder intonatie in mijn stem. 'Zuster...?'

'Alles gaat naar wens, mevrouw.'

Ze draagt de bloedsporen verder het huis in. De hal is weer leeg. Door de ruit zie ik een paard dat graast in de wei aan de overzij van de weg. Het licht wordt voller, milder. Een zuster die haar dagtaak gaat beginnen, komt van buiten de hal in. Ze staat stil bij het frame dat zojuist door een bezorger gevuld is met de krant van vandaag. Ze leest. Ze leest een bericht op de voorpagina rechts boven, net onder de datum. Het bericht zegt dat iemand iemand anders van het leven heeft beroofd. Vannacht. Hier vlakbij. Met een bijl.

Deze dag wordt mijn kleinkind geboren. Honderden malen zal het de datum van deze dag noemen als antwoord op de vraag: Uw geboortedatum alstublieft? Op dit moment van de dag zwoegt het nog met zijn moeder om het leven. Vandaag nog begint het aan de heksentoer van Leven. Vanaf straks, vandaag, hoort het bij ons, bij zijn ouders, grootouders, familie. Vandaag nog wordt het ingelijfd in een gemeenschap. Van vandaag af ook mag het gaan claimen en kan het rechten doen gelden. Zo'n kind... Weer een zuster komt De Deur uitgestapt. Hoe is het zuster? Komt 't al gauw? Alles gaat goed, zegt de zuster.

Maar de moeder jammert wéer, duidelijk hoorbaar in het nog altijd stille huis, tot in de wachthal. Jammert over het leven dat zulke eisen stelt aan levengeven. Ik zit op de latten. Ik wacht. Ik zie van alles, zonder iets van waar het mij om gaat, te zien. Ik duw een peuk op de hoop van de onbekende die welke reden dan ook had om zo krankzinnig veel peuken met zoveel vlijt en kracht uit te drukken. Ik denk, verward, onaf, een heleboel.

De laatste gedachte wordt messcherp afgesneden door een nieuw, een ander geluid. Onbekend, nog niet vertrouwd, bereikt het de hal van achter De Deur vandaan: het huilen van een kind.

Het is het kind van mijn kind dat huilt. Het kind dat mijn kleinkind zal zijn huilt.

IJzeren discipline moet nu ergens vandaan worden gehaald, die oeroude, alleen maar natuurlijke gevoelens in de hand weet te houden, grote zelfbeheersing is geboden, en een eikehouten zelfcontrole want dit is een wonderlijk ogenblik, een ogenblik waar niet uitgebreid bij kan worden stilgestaan want alle mogelijke sentimenten komen uit hoeken en gaten aangestoven om een ongeoefend grootmoeder te bespringen. En hier kan meteen een proeve van bekwaamheid worden afgelegd want haast tegelijkertijd met het onbekende en alles betekenende geluid komt weer een gezichtje onder floddermuts terug in de hal. Het legt een vinger langs de neus, het zegt guitig: 'Hoor es, mevrouwtje, wie denkt u dat dàt is...?!'

En daar komt de grote geneesheer melden: een dochter. Op de hielen gevolgd door de prille vader die hetzelfde meldt.

Een ogenblik later mag ik de deur met het etiketje doorgaan. Een kleine ruimte ligt daarachter. Boven een fonteintje keurt een kleiner soort dokter een kilo vers vlees op de palm van zijn hand: de placenta door middel waarvan mijn dochter haar dochter van levenssappen voorzag. In een schuitje van doorzichtig plastic

legt juist een meisje een rollade van gele stof waaruit
het gehuil opstijgt. Bovenaan zit een tuit van een gevouwen luier.

Ik buk me en kijk erin en zie het bespottelijk rooie
kopje van een pasgeboren mens. Gekreukt. Bebloed.
Gerimpeld. Intens bedroefd. Intens verontwaardigd.
Verschrikkelijk nieuw. Ze huilt en ik weet niet of ik
lachen moet.

Mieke van Os

Brief aan mijn ongeboren zoon

Ik ben ervan overtuigd dat je een zoon bent. In mij is een oergevoel; mijn hele lijf tintelt van de zekerheid dat ik moeder word van een zoon. Al maakt het me niets uit of je een zoon of een dochter bent.

Ik beleef zoveel overweldigende gevoelens met je. Zoals over je ontstaan. Ja, ook dat tijdstip weet ik precies: twee november om half twee 's middags. De eisprong voelde ik zoals altijd heel duidelijk. Maar de wetenschap dat het al uren wachtende zaad nu zijn kans waarnam, was een unieke gewaarwording. Ook ditmaal weer stellige zekerheid – en tegelijk twijfel of een mens zijn eigen lichaam zo feilloos kan kennen.

Daarom was ik twee weken later ook teleurgesteld in mijn eigen lichaamsgevoel toen bleek dat ik wat bloedverlies had en het leek of ik me toch vergiste. Even bespeurde ik een gevoel van opluchting, want ik besefte dat deze gebeurtenis niet terug te draaien zou zijn. Toch ben je voor honderd procent gewenst, een beslissing die we met stellige overtuiging hebben genomen. Maar tot nu toe zijn de beslissingen die ik in mijn leven heb moeten nemen altijd terug te draaien geweest; een veilige vorm van uitsluiting van twijfel, een ingebouwde zekerheid binnen keuzen. Het laten beginnen van jouw leven zie ik als iets waarbij geen terugkeer mogelijk is, een onuitwisbare plaats binnen ons heelal. Gelukkig realiseerde ik me dat die korte opluchting eigenlijk onzekerheid is die voortkomt uit angst: het bang zijn voor de verantwoordelijkheid die je draagt voor nieuw leven. De woorden van een vriend stelden me gerust. Hij zei: 'de natuur geeft je niet voor niets negen maanden de tijd om aan elkaar te wennen'. En in de zekerheid dat je er bent – want mijn lichaamsgevoel heeft me niet bedrogen – ben ik steeds meer met je vertrouwd geraakt. Na twee maanden ben je al mijn 'lief huppelke' en ik geniet van alle warmte die mijn moederlijf je geeft. Apetrots ben ik op dat hele organisme, dat zo volop bezig is je te laten uitgroeien tot een prachtig volwaardig mens. Ik voel me bondgenoot van mijn eigen lichaam: wij samen doen alles om jou te geven wat je nodig hebt.

En steeds meer laat je me merken dat jij daar binnen in me ook geniet. Als we samen in bad gaan en ik laat het warme water over mijn buik lopen, keer je je rug naar het water toe. Het geeft een onverbrekelijk *wij*-gevoel dat ik alleen met jou, mijn groeiend kind, kan beleven.

Het meest verbaasd blijf ik over mijn eigen zelfvertrouwen en over het feit dat ik zo pertinent zeker weet dat alles goed met je gaat. Toen de verloskundige een echo liet maken omdat ze dacht dat je te klein was, was ik er stellig van overtuigd dat ze ongelijk had. En na het onderzoek bleek dat mijn gevoel het weer bij het rechte eind had. Volgens haar berekening word je op vijfentwintig juli geboren. Ik denk dat je wacht tot de achtentwintigste. Dan ben je geheel volgroeid.

Lieve zoon, het is nu zevenentwintig juli, elf uur 's avonds en het 'tekenen' heeft zich aangekondigd. Daarom, lief huppelke, eindig ik deze brief met afscheid te nemen van ons samenzijn. Het duurt nog enkele uren; ik verheug me erop je eindelijk te kunnen zien en horen.

Dag zoon, tot morgen.

P.S. Mijn zoon is geboren op 28 juli 1986 om negen minuten over vier, en hij is een volmaakt prachtmens.

Belcampo

Het kraambezoek

De lieftallige gravin Verzomeren de Barbenèze had zich sinds vier weken eindelijk met haar lot verzoend: dat haar echtgenoot burgemeester was geworden van de gemeente Neerlangbroek en zij daar moest wonen.

Hoe anders had zich zij het leven voorgesteld toen zij nog in Brussel en Parijs haar opvoeding voltooide. 's Ochtends personeel bevelen en haar uiterlijk verzorgen, 's middags deelnemen aan vernuftige en geestige kout van geleerden en kunstenaars waar mee zij zich omringde, 's avonds uit haar weelderige loge neerzien op feestende en dansende paren.

Nu zag zij de hele dag uit op weiden met grazende koeien al was het ook van 't hoogste en mooiste huis in de gemeente. Haar opvoeding had hier elke zin verloren. Haar sierlijke buiging, haar heerlijk dansen, waar moest zij er mee heen! Dat zij een onberispelijk diner kon geven, dat zij een brillante conversatie kon voeren, wie werd het ooit gewaar? Wanneer de koningin bij een werkbezoek aan de provincie ook hun gemeente aan zou doen — eens in de vijftig jaar gebeurde dat misschien — dan zou het kunnen blijken. Had men haar maar leren melken!

Maar vier weken geleden was alles anders geworden. Met de geboorte van haar eerste kindje, een klein graafje. Het had, zodra het er eenmaal was, met zijn mollige armpjes de wereld voor haar verzet, al haar belangen verschoven. Alles kreeg een nieuwe waarde. Zelfs de koeien keek ze met andere ogen aan. Ze gaf nu zelf ook melk.

Op de middag van dit verhaal zat ze als jonge moederbruid naast de wieg in haar empire salon.

Neerlangbroek en empire. Die vergelijking had haar vroeger pijn gedaan. Nu lachte zij er om. Onlangs nog had ze aan tafel een nieuw gemeentewapen voorgesteld: de staande onderhelft van een man wiens broek op zijn schoenen was gezakt in een groen veld. En tot schildhouders twee billen. Haar man, al wat ouder, had gemeesmuild zoals gewoonlijk om wat hij altijd noemde: haar Parijse inventies.

Zulke frivole stemmingen had ze nog maar af en toe en dan nog alleen binnenshuis. De gemeenteleden zouden het niet waarderen.

Op het ogenblik was haar stemming sereen, in overeenstemming met haar smetteloze kleding, de wieg, waar uit grote hoogte een dak van tulle over af kwam dalen en het pas verschoonde kind. Ze haakte een of ander dingetje, onderbrak dit soms even door in de wieg te gluren naar het slapende kopje dat grotendeels achter de ophoping van dek verborgen bleef.

Een bedeesde tik en het dienstmeisje kwam binnen.

'Mevrouw, er is een meneer voor u. Dit is zijn kaartje.'

Gravin Verzomeren de Barbenèze nam het kaartje en las met enige bevreemding:

B. Zwanjer
Propagandist Nederlandse Tepelactie

'Wat is het voor een man?'

'Ik ken hem niet mevrouw. 't Kon wel een ouderling wezen, helendal in 't zwart. En hij vroeg speciaal naar mevrouw.'

De gravin had geen lust om op te staan. Het bezoek, waar ze nog minder lust in had, kon ze niet weigeren. Herhaaldelijk was het gebeurd dat een gemeentelid haar verzocht voorspraak te zijn bij de burgemeester in een of andere kwestie. Het was de uitdrukkelijke wens van haar man dat zij nooit zulke verzoeken afsloeg. Misschien was het ook wel om een bijdrage te doen voor een liefdadig doel. Daar leek het hier wel op. Dan was ze er gauw van af. Zij schikte zich.

'Laat meneer maar binnen.'

De man die even later het salon met een buiging betrad was van gedrongen postuur en naar schatting vijf en vijftig jaar. Hij was gekleed in een zwartlakense pandjesjas en klemde in zijn hand een laag hoog hoedje.

'Gaat u zitten, mijnheer Zwanjer, en kan ik u ergens mee helpen?' sprak de gravin en wees met de minzaam vriendelijke glimlach, waarmee de betere standen zich van de slechtere weten te onderscheiden, een hoek van de divan aan.

'Ik zal niet plaats nemen, mevrouw. Ik ben hier gekomen om een boodschap te brengen en daarbij moet worden gestaan.

De vereniging waarvan ik als afgevaardigde voor u sta heeft met grote vreugde kennis genomen van de gelukkige gebeurtenis in dit huis. Immers u, mevrouw de gravin, zijt een voorbeeld voor allen. Uw gedragingen vormen voor de gehele omtrek een maatstaf en het is daarom dat mijn vereniging in het bijzonder op u haar oog heeft laten vallen en mij de eer heeft waardig gekeurd aan u persoonlijk onze oproep te richten.

Zoals u op mijn kaart hebt kunnen lezen ben ik propagandist voor de tepelactie, die op het ogenblik gevoerd wordt door het Nederlandse Tepelgenootschap onder de slagzin TTT: Toont Thans Tepel. Deze slagzin is van mij, mevrouw. Daarmee heb ik de concurrerende slogan BBB: Borsten Beter Bloot of Beide Borsten Bloot, verslagen.

Ik zal u in het kort vertellen wat de zaak is, mevrouw. Het betreft een delicate kwestie.

Het Nederlandse Tepelgenootschap is opgericht door een aantal mannen die hebben ingezien dat ons volk door een groot gevaar wordt bedreigd: de degeneratie van de moederborst. Steeds groter wordt het aantal zuigelingen dat niet meer langs de natuurlijke weg kan worden gevoed. Voortdurend groeit het aantal van zogende en ook niet-zogende vrouwen, die zich om haar borsten aan medische behandeling moeten overgeven. En waar moet het heen met het menselijk geslacht wanneer zijn oerbronnen opdrogen of, wat nog erger is, worden vergiftigd.

De moedermelk te vervangen door de koemelk, dat is een misdaad, mevrouw. Daarmee berooft men het kind bij zijn geboorte al van zijn eerstgeboorterecht, want het eerstgeboorterecht van ieder mens is het recht op moedermelk. In zijn teerste stadium mag de mens alleen gevoed worden door de mens, pas daardoor kan het mensdom zijn hoge gedragenheid blijven behouden.

Ons Tepelgenootschap is het enige lichaam dat de ware oorzaak van deze achteruitgang onderkent. De vrouwenborst moet weer bloot worden gedragen, hij moet weer aan de frisse lucht. De eeuwenlange vertroeteling van dit lichaamsdeel moet een einde nemen, hij moet als weleer aan weer en wind worden blootgesteld. Het moet er op regenen, het moet er op sneeuwen, het moet er op hagelen, mevrouw. En op zijn tijd mogen er dan ook weer bolle zuidewinden omheen strijken.

Wat denkt u' – en hierbij wees de agitator uit het raam in de wei met koeien – 'wat denkt u als de boeren eens op het idee kwamen de uiers van hun beesten te laten dragen in wol of in flanel? Ziekten zouden het gevolg zijn en daling van de melkproduktie. Dit orgaan is niet op de broei gemaakt maar op de vrijheid. De tegenwoordige vrouwenkleding is voor de borst een muilkorf.

Dit inzicht, dat bij alle primitieve volken aanwezig is, hebben wij verloren laten gaan. Onlangs heeft ons genootschap op een warme dag een excursie gemaakt langs het Nederlandse strand en het feit dat, terwijl bijna het gehele lichaam naakt was, juist de borsten bedekt werden gelaten, heeft ons met verontwaardiging vervuld.

Het is ons ideaal aan deze delen de ereplaats te hergeven waar zij, én volgens het bestel der Schepping én volgens de waardering der kunstenaars recht op hebben.

Nu kom ik tot u met het verzoek' – en bij deze woorden viel de stem van de heer Zwanjer van het rhetorische register in het persoonlijke – 'met het verzoek, u bij onze gelederen aan te sluiten.

U moet weten, mevrouw, wij dragen een stil verdriet, daarin gelegen dat de vrouwen, waar bij ons alles om gaat, waar de gehele doelstelling van onze statuten op is gericht, geen deel willen uitmaken van ons genootschap. Wij kennen tot nu toe alleen manlijke leden. Het is onze vurigste wens dat daar verandering in komt. Wij zouden niets liever willen dan dat aan onze vergaderingen een groot aantal vrouwen deelnam, zodat wij onze theorieën bevestigd en onze besluiten geschraagd zouden zien door een wal van blote borsten om onze groene tafel.

Dat wij ons in het bijzonder tot u wenden, mevrouw de gravin, is om twee redenen.

In de eerste plaats bent u door geboorte en positie de eerste vrouw van deze streek. Uw voorbeeld weegt zwaar en zal gemakkelijk navolging vinden. Met u als eerste schaap over onze dam kunnen wij spoedig meer verwachten.

En ten tweede zou de heuglijke gebeurtenis, die in uw gezin heeft plaats gehad voor u een aanleiding moeten zijn om u te bezinnen op de vraagstukken die de moederborst betreffen. Om zich in onze gelederen te voegen kan een vrouw geen passender tijdstip kiezen dan dit. Wanneer u onze propaganda-avonden voortaan zou opluisteren, staande op het podium nevens de spreker, aan het publiek twee tastbare bewijzen voor onze stellingen vertonend... het zullen feesten worden, mevrouw.

Nee, maakt u geen afwerend gebaar, zet u in voor

het ideaal dat wij voorstaan.

Of het zal toch niet zijn dat u de welgevormdheid mist, die wij voor onze propaganda zouden wensen? Dat een schroom voor publiciteit misschien daarin zijn oorzaak vindt? Laat u de beoordeling daarvan gerust aan mij over, mevrouw. Wij die jaar in jaar uit niets anders doen dan ons met deze materie bezig houden, wij achten ons kenners bij uitstek.

Staat u mij even toe een klein keurend oog te werpen...'

In plaats van zijn zin af te maken legde de heer Zwanjer zijn hoedje op een stoel en liep naar de gravin toe met de handen uitgestoken zoals de bediende van een modehuis die iets gaat verschikken aan de kleding van zijn cliënt.

Op het punt van te protesteren hoorde de jonge vrouw het zacht openklikken van de buitendeur.

Plotseling veranderde zij nu van taktiek.

Een zotte bui, ál te lang in deze omgeving verstikt, brak bij haar door. Even, héél even liet zij de handen van de heer Zwanjer begaan. En ook bij hém brak het lang bedwongene, het jarenlang verwrongene, door, zodat hij zich niet verbaasde over wat de gravin op dat ogenblik bij hem verschikte. Maar nauwelijks waren de paar seconden, die de burgemeester nodig had om zijn jas aan de kapstok te hangen, voorbij of zij ontrukte zich onweerhoudbaar aan de toenadering, vloog via een zijvertrek naar de gang en gooide op hetzelfde ogenblik voor haar man, die juist naar binnen wilde gaan, de deur van het salon wijd open.

'René, je gemeentewapen,' proestte zij er uit.

En in opperste verbazing zag de burgemeester van Neerlangbroek het door zijn echtgenote voorgestelde nieuwe wapen in levenden lijve voor zich staan.

Het kind sliep rustig verder en was niet freudiaans geschokt.

Paul Jacobs

Geboortekaartje

'Wat zegt een kind als men het op zijn billetjes tikt?'
   'WAAH!'
   'Nee, WAAH kan niet. Korter. Twee letters.'
   'AI? AU?'
   'AI zou kunnen, ja.'
   'Aan het kruiswoordpuzzelen?'
   'Ja. Op een geboortekaartje. Je moet eerst de puzzel invullen en dan weet je hoe het kind heet.'
   'God, hoe bedenken ze het?'
   'Leuk toch, nee? Help je even? "Mijn papa is een..." Vier letters.'
   'Een VENT?'
   'Ja... misschien. "Mijn papa is een... Mijn papa is een..."'
   'Een NOOR? Een DEEN? Is hij van Scandinavischen bloede?'
   'Niet dat ik weet. Ik dacht dat hij gewoon van Antwerpen was. "Mijn papa is een..."'
   'Wat doet hij voor de kost?'
   'Erik? Iets in de metaalsector, dacht ik.'
   'Een SMID!'
   'Nou nee, niet echt een smid, nee. Tenzij hij het figuurlijk bedoelt natuurlijk.'
   'Zet maar SMID. We zien straks wel verder. Wat moet je nog hebben?'
   '"Zo zien mijn ouders eruit"'

'Hoeveel letters?'

'Ook vier.'

'MOOI? LEUK? RIJK? GOED?'

'Nee, dat zeg je niet van jezelf. Toch zeker niet op zo'n geboortekaart.'

'BANG?'

'Bang? Waarom zouden ze er bang uitzien?'

'Dat er iets met het kind gebeurt, misschien?' 'Of TAAI?'

'Zien ze er taai uit?'

'Taai? Nee. Gewoon. Aardig. Zij is heel lief. Hij ook trouwens.'

'LIEF! Doe maar LIEF. Wat nog meer?'

'"Gerda is mijn..." Vijf letters.'

'Gerda is mijn ZUSJE.'

'Nee, ik geloof niet dat ze al een kind hadden.'

'Mijn NICHT.'

'Mijn METER? Zou dat kunnen? "Gerda is mijn meter"?'

'Mijn TROTS? Mijn NAAM? Nee, dan heb je maar vier letters. Mijn MARMOT? Zes. Mijn POPJE?'

'Ik zet METER. "Gerda is mijn METER."'

'Ben je er bijna doorheen?'

'Ja, de rest heb ik denk ik wel. En nu moet je de letters waar een streepje onderstaat, achter elkaar zetten.'

'En? Wat krijg je?'

'FGABKI.'

'FGABKI?'

'Ja. Een Friese naam waarschijnlijk. Mooi wel, vind ik. FGABKI. FGABKI Van Dorsemaal. Toch weer eens wat anders dan Mark. Nee?'

94

Ethel Portnoy

Melk

Het ogenblik dat ik mijn pasgeboren zoon te zien kreeg werd mijn hele verhouding tot hem vastgelegd. Hij was beklemmend lelijk. Hij zag eruit als iets wat te vroeg uit het nest was gevallen. Een dunne, gerimpelde hals vormde de precaire verbinding tussen het lichaam en een groot, oud, kaal hoofd, met de uitdrukking van een Grieks toneelmasker. De samenhang van het gezicht – kleine ogen zonder oogharen, een tandeloze mond zonder kin – werd verstoord door een grote vormeloze neus waarvan de huid, evenals die van de wangen, bezaaid was met vetporiën als een ontkleurde aardbei.

'The Spotted Wretch,' zei mijn echtgenoot toen we hem een poosje zwijgend bekeken hadden. Ik voelde de vertwijfeling mij bekruipen. Wat kan een dergelijke stakker nu voor een toekomst hebben? dacht ik. Hij zou de man worden die zijn uiterlijk niet mee had, wiens schuwe pogingen tot toenadering beantwoord zouden worden door het wrede gelach van de meisjes. Op dat ogenblik al voelde ik mijn keel droog worden door een verlammende, woeste liefde voor hem. Al zou geen sterveling van hem houden, ík zou van hem houden.

Na een poosje werd hij teruggebracht naar de nursery, mijn echtgenoot nam afscheid en ging naar huis. Ik lag alleen in de kamer, en woog mijn verslagenheid af tegen de opluchting dat de bevalling achter de rug was. Het was een grote lichte kamer, met ramen op het oosten en het zuiden, gesitueerd op de ribbe van een grote, uit de jaren dertig daterende kubus, bekend als 'The International Clinic of Paris'.

Die naam scheen aantrekkingskracht te hebben op welgestelde Fransen, het was het ziekenhuis waar staatslieden hun prostaat lieten verwijderen en filmsterren bekwamen van hun zenuwinzinkingen, alhoewel het oorspronkelijk bedoeld was voor in Parijs wonende buitenlanders, die er aanmerkelijk minder betaalden.

Op het nachtkastje stonden bloemen. Een ingenieus bedachte tafel, die over het bed geschoven kon worden, bleek een opklapbare spiegel te bevatten, zodat ik mij in bed kon opmaken.

Het andere bed was leeg, maar dat zou niet lang zo blijven. Tegen het vallen van de avond arriveerde een andere pas verloste moeder, in de vorm van een grote bewusteloze zak die snel en vakkundig van een wielbrancard op het bed werd gewenteld. Het was een blonde vrouw van een jaar of dertig.

Na een paar minuten deed zij haar ogen open, vertelde dat zij Mildred Birch heette, dat zij bevallen was van een dochter, haar vierde kind, dat zij het zonder verdoving gedaan had, dat het een verrijkende belevenis was geweest, en dat zij op de brancard in slaap moest zijn gevallen. Het scenario dat ik zojuist afgewerkt had, herhaalde zich: de echtgenoot kwam binnen met bloemen en de baby werd gebracht. Het was een welgevormde zuigeling met blond haar en lange wimpers. 'En u?' informeerden zij beleefd.

'Een jongen.' Ondanks mijzelf zei ik erachteraan: 'Hij is afzichtelijk.'

Er viel een stilte. 'O, alle pasgeboren baby's zijn lelijk,' zei Mr. Birch, met een bewonderende blik op het wezen dat deze bewering logenstrafte. 'Na een poosje trekt het vanzelf bij,' merkte Mrs. Birch barmhartig op.

Barmhartigheid was Mrs. Birch's sterke punt, ontdekte ik. Zodra haar man vertrokken was begon ze te vertellen over haar kerk, en de goede werken die dit instituut verrichtte. Haar kerk had speciaal belangstelling voor de Evolutie van de Neger en streefde ernaar hen daarbij te helpen. Thuis in de States gaf Mrs. Birch onderwijs in lezen en schrijven aan de kinderen van arme negerfamilies. In gewone scholen konden ze niet meekomen omdat ze *environmentally deprived* waren. Vlak voor haar vertrek naar Parijs, waar haar echtgenoot belast was met de directie van het Europese bijkantoor van zijn firma, had zij het kerkcomité nog geholpen met het inpakken van medicamenten die gestuurd zouden worden naar de Kongo, waar het toen weer spookte.

'Voor de zendingshospitalen?' vroeg ik naïef.

'Nee, voor de vrijheidsstrijders,' antwoordde ze met trots. Het verbinden van de vinger aan de trekker. Terwijl zij aldus voortbabbelde, over een Zwitserse firma, die zij tot het bijdragen van aspirine ter waarde van honderdduizend dollar had weten te pressen voor de goede zaak, viel ik in slaap, en toen ik wakker werd was het de volgende morgen.

Ik barstte van energie; wonderlijk genoeg was ik, na de verdoving, in veel betere conditie dan Mrs. Birch, die klaagde over zwakte en vermoeidheid. Ik werkte een fors ontbijt naar binnen en kondigde aan dat ik nu op ging staan om een douche te nemen. Dit vertoon van fitheid liet niet na indruk te maken op de dagverpleegster, Miss Griggs, een hupse Cockney.

Onder de douche constateerde ik met voldoening dat mijn borsten gedurende de nacht tot grapefruitformaat waren gezwollen, zoals die op de Maja Desnuda. Ze waren de zetel van een tintelend gevoel, bewijzend dat de melk op weg was. Liefde was in tastbare vorm bezig in mij op te stijgen, ten behoeve van mijn stakkerige boreling. Ik had nauwelijks geduld om weer in bed te gaan liggen en Miss Griggs te bellen.

'Ik ben gereed om hem te voeden,' zei ik.

'O? Wilde u borstvoeding geven? Bijna niemand doet dat, weet u. Ze nemen pillen om de melk weg te laten gaan. Dat is de moderne manier.'

'Dat kan wel zijn,' zei ik, 'maar míjn baby voed ik zelf. Ga 'm maar halen.'

Ze verdween en kwam terug, niet met mijn afschuwelijke zuigeling maar met de hoofdzuster, een onberispelijk gekapte Française.

'Het spijt mij, Madame, maar de dokter heeft gezegd dat uw baby nog geen voedsel mag hebben. Hij heeft nog te veel *muqueuse*.'

'Wat? Maar dan droogt hij uit. Dan gaat hij dood!' Daar had je het al, ze hadden zijn stumperige uiterlijk opgemerkt, en zo klein als hij was waren ze al begonnen hem achter te stellen. 'Waar komt die *muqueuse* vandaan, trouwens?'

'Die slikken ze in, en dat moeten ze eerst kwijtraken. Geen enkele baby wordt dadelijk gevoed,

Madame, de eerste paar dagen krijgen ze alleen een beetje water.'

'Maar toen ik hier van mijn dochter beviel, liet de hoofdzuster me haar dadelijk voeden. De eerste melk, dat gele goedje, dat is goed voor ze, dat weet ik nog. Waar is die zuster nu? Is ze niet meer hier?'

'Wie bedoelt u? Ik ben hier al zeven jaar. Hoe lang is het geleden dat u hier bevallen bent?'

'Elf jaar.' Het klonk als een bekentenis van ongelijk.

'Ah, Madame, dat was toen. Maar dit zijn nu de regels van de kliniek. Morgen kunt u uw baby voeden. Maar de meeste dames hier doen het helemaal niet. Zij denken aan hun figuur.' Ik keek naar haar figuur. Haar figuur was in orde. Haar uniform leek op een operettekostuum. Ik kon haar zien lopen, op haar vrije dag, in een keurig mantelpak, op hoge hakken en met een tasje van krokodilleleer, *real square*.

'Goed, dan wordt het morgen,' zei ik koppig, 'maar voeden zal ik hem.'

'Zoals u wilt, Madame.'

Van tijd tot tijd werd mij de baby gebracht zodat ik hem zien kon. Zijn uiterlijk was er niet op vooruitgegaan. Hij balde en ontbalde zijn vuisten voortdurend, rolde zijn hoofd van de ene kant naar de andere en hapte naar onzichtbare tepels.

Ik sloeg hem somber gade. De regels waren de regels.

In de tijd tussen die visites schreef ik brieven op de ingenieuze bedtafel, en las. Ik installeerde mijn make-up onder de spiegel en lakte mijn nagels. Pas een dag lag ik in het ziekenhuis en mijn vingers waren al zo wit als van een wassen pop. Verdere tijd doodde ik met gapen en luisteren naar de verhalen van Mrs. Birch over de *environmentally deprived*. Ik bezocht de toiletten en maakte daar kennis met een zware, als verpleegster geklede vrouw. Haar gezicht had iets verliederlijkts; haar handen waren bedekt met vele onhygiënische ringen en zij rookte een sigaret. Ik staarde haar aan. Zij was kennelijk een incognito bordeelmadam. Ze bood mij een sigaret aan en gaf me vuur.

'Wees gerust, darling, ik werk hier,' baste ze. 'In de *nursery*, bij de baby's.'

Ik keek met afkeuring naar de ringen aan haar vingers.

'Die we nu hebben, zijn poepmakkelijk,' vertrouwde ze me toe. 'Té makkelijk. Ik heb het meer op de te vroeg geborene. Daar heb ik slag van. Als er eentje is wordt hij speciaal naar mij gebracht en dan heb ik carte blanche om te doen wat ik wil. Ik heb er eens eentje drie maanden gehouden – toen ik hem kreeg, woog hij achthonderd gram. En ik heb hem er doorgehaald. Dat is werk waar ik van hou. Met zo'n baby moet je weten wat hij wil. Je moet het zien aan de manier waarop hij beweegt en huilt. En ik kan dat zien, die gave heb ik.'

Zij is de oorspronkelijke Erdmutter, dacht ik, de ware witte heks. Beter dan een incubator.

'Voedt u uw baby?' informeerde zij.

'Ja zeker,' zei ik trots. 'Ik begin morgen.'

'Good girl.' Wij witte heksen begrijpen elkaar. Deze hier zou nooit een tasje dragen van krokodilleleer. Eindelijk had ik een werkelijke vrouw gevonden onder al deze verklede mannequins.

Toen ik de volgende morgen wakker werd, voelde ik me onbehaaglijk. Ik kreeg algauw door wat het was: mijn nieuwe filmsterrenborsten waren zo hard als onrijp fruit. Dat kon vast de bedoeling niet zijn. Hadden ze me hem maar gisteren gegeven! En in geen geval later dan nu, als ik niet gauw gemolken werd, dan ging ik eraan, en mijn afzichtelijk gebroed erbij. Aldus sprak ik Miss Griggs toe toen zij met warm water binnenkwam om mijn intieme toilet te verrichten. Zij ging informeren.

'U kunt hem om twee uur vanmiddag krijgen, zeiden ze.'

Miss Griggs was een vriendelijk wezen, zij probeerde mij af te leiden met haar encyclopedische kennis over de Beatles. John en Ringo waren al getrouwd. Maar George en Paul waren nog beschikbaar. Zelfs voor Miss Griggs. Ik deed haar opmerken dat Paul vaak gezien werd in het gezelschap van een zekere Miss Jane Asher. Want ook mijn kennis van het privéleven van de Beatles mag er wezen.

'Ik vrees dat er weinig hoop is,' gaf zij toe. 'Ze zijn zo goed als getrouwd, hoewel ze zeggen dat ze *just good friends* zijn. Dat kennen we. Jammer; want Paul vind ik de liefste.'

Het werd eindelijk twee uur, en de nursery-zuster bracht een baby binnen. Maar het was een mooie, die van Mrs. Birch, niet de mijne. Een vergissing, ze zouden hem zo wel brengen? Nee, het was geen vergissing. Ik kon hem nog niet krijgen. Van wie niet? Van de dokter niet. Vanavond pas, voor de avondvoeding. Hoe laat? Om zeven uur. Nog vijf uur!

Ze gingen toch nog vlugger om dan ik verwacht

had. Om vier uur verscheen mijn echtgenoot met af-
leidend nieuws over de buitenwereld, en toen kwam
ten slotte het moment dat Miss Griggs hem binnen-
bracht.

Het grote ogenblik was aangebroken. Hij worstel-
de om houvast te krijgen aan de granieten bal die ik
hem voorhield. Het ging goed. Niet perfect, maar
goed; het leek dat hij er tenminste iets uit kreeg. Het
was bereikt, we waren samen. Kleine beesten moeten
tegen grote beesten aan liggen. Ik gaf hem melk, zog,
het geheimzinnige voertuig van vitamines, immuni-
teiten en manna. Van nu af zou alles goed zijn.

Maar dat had ik mis. Mlle Pradel, de nachtzuster,
kwam terug nadat zij hem, na de voeding van elf uur,
naar de nursery had gebracht, en zorgde voor de eerste
wanklank.

'Ze zeiden in de nursery dat hij niet genoeg krijgt.
Ze moesten hem bijvoeden met een fles.'

Zij was een gedrongen meisje uit Zuid-Frankrijk,
en geen licht. Ze had net een artikel gelezen in *Planète*,
waarin stond dat er vijfentwintig miljoen Amerikanen
buiten Amerika woonden. Wist ik dat? Ik zei dat ik
niet ontkende dat er veel Amerikanen buiten hun land
woonden, maar dat ik betwijfelde of hun aantal vijfentwintig miljoen bedroeg. Mijn eigen status als een
van die uithuizige Amerikanen maakte mijn objectivi-
teit echter betwijfelbaar. Ze wist verder te vertellen
dat aan het hoofd van iedere geheime organisatie in de
hele wereld, zelfs de GPU, een Amerikaan stond.

'Nee maar!' bracht ik uit.

En die stonden op hun beurt weer allemaal onder
het bevel van een vroegere leider van het Tweede

Rijk. Of het Derde? Dat wist zij niet precies meer.

En in Frankrijk alleen waren meer dan vijftien Amerikaanse luchtbases, elk daarvan bewoond door minstens drieduizend man, plus vrouwen en kinderen – stel je eens voor!

Ik stelde het mij voor, mijn geestesoog zag het leger van crew-cuts bezig de fundamenten van de samenleving te ondergraven. Ik hoopte dat zij mij nog meer zou vertellen, maar meer wist zij niet.

De volgende ochtend om zeven uur kwam de baby, en daarna om elf uur; steeds hield ik hem zo lang mogelijk aan de gang, om de samenzweersters in de nursery te bewijzen dat hij genoeg kreeg. Om twee uur kwam hij weer. Ik richtte mij op één elleboog op om hem te zogen. Hij leek honger te hebben en hapte, hij hapte zo hard dat ik au! riep. Hij begon te pompen, en ik staarde dromerig in de verte. Maar na een poosje was er iets mis; hij verslikte zich, kuchte, liet de tepel los en begon te huilen. Bloed liep uit zijn mond en langs zijn kin. Ik week ontzet achteruit: had hij een bloeding? Nee, verdomd, ik was het zelf. Terwijl het bloed uit haar tepels gutst, zoogt de Godin van de oorlog haar zoon, Chaos. Een allegorisch tableau, waarvan de woeste schoonheid mij niet ontging, maar er moest toch wat gedaan worden.

Ik belde Miss Griggs. 'Oh dear,' zei die, en ging de hoofdzuster halen. De hoofdzuster klikte naar binnen op haar stilettohakken en bekeek mij afkeurend.

'Ik dacht wel dat dat gebeuren zou. U houdt hem te lang aan de borst.'

'Ik dacht dat hij dan meer zou krijgen,' zei ik zwakjes. Ik kon me niet veroorloven ruzie met haar te maken.

'Het is duidelijk dat u niet genoeg melk heeft. Hoe oud bent u?'

'Achtendertig,' mompelde ik.

'Voilà. Nu zult u het moeten opgeven, anders krijgen we een abces, en dat kunnen we niet hebben, nietwaar?'

'Misschien zou ik een pomp kunnen gebruiken tot het over is,' zei ik in wanhoop. 'Ik moet de melk aan de gang houden tot ik thuis ben. Ik weet dat alles in orde zal zijn zodra ik thuis ben.'

'Dat moet de dokter maar uitmaken,' zei ze beslist, draaide zich om en ging met vinnige stappen de deur uit.

Ik bleef bedrukt achter, en herinnerde me hoe rijkelijk ik mijn dochter had gevoed, elf jaar geleden. Ik had toen zoveel melk dat als ik in de metro zat, de melk door de warmte en de nabijheid van andere lichamen vanzelf begon te vloeien, mijn blouse doorweekte onder mijn jas. Dat zou ik dus nooit meer meemaken. Wat ik toen te veel had, kwam ik nu te kort. Alleen wist ik het toen niet, en nu wel. Het was waar, misschien was ik te oud.

Het avondeten kwam en ging. De tijd van de zeven-uur-voeding brak aan, ingeluid door de verschijning van Miss Griggs met de Disneyland-baby van Mrs. Birch. Met weemoed keek ik naar Mrs. Birch, wier borsten zo groot waren als bij een normale vrouw het achterwerk, wit als ei en bedekt met blauwe aderen. Ze waren gruwelijk, maar ze waren vol. Mijn eigen bescheiden attributen waren fraaier, maar wat had ik daaraan op een ogenblik als dit? Ik betastte ze: ze voelden of ze al kleiner geworden waren, alweer haast tot hun normale afmetingen terug. Als ik niet gauw die melkmachine te pakken kreeg, zou het afgelopen zijn.

'Het is tijd voor de voeding,' zei ik tegen Miss Griggs. 'Mag ik nu alsjeblieft de pomp?'

'Een ogenblikje,' zei ze, en draafde de kamer uit.

Ze kwam met hangende poten terug. 'De pomp is stuk. Er moet een elektricien aan te pas komen.'

Leugens! Maar er was niets dat ik kon doen. Ik lag te zieden tot aan het bezoekuur, toen mijn echtgenoot arriveerde, hooggestemd, met een tas vol brieven, boeken en tijdschriften. Hij zag aan me dat er iets mis was. 'Wat is er?' vroeg hij.

Ik vertelde het hele verhaal. Hij ging naar de baby kijken, die nog steeds even lelijk was.

Toen hij terugkwam ging hij op het bed zitten en nam mijn hand. Nog voor hij zijn mond open had gedaan, begreep ik dat de hoofdzuster naar hem op de loer had gelegen en hem in haar klauwen had gehad.

'Misschien,' zei hij, 'misschien maak je je te druk over die borstvoederij. Ik weet wat het voor je betekent, maar als het niet lukken wil, dan kan niemand daar verder wat aan doen. Beloof me dat je je erbij neerlegt als het niet lukt, voordat er narigheid van komt.'

'Ik beloof het,' zei ik, 'ik weet wel wanneer ik verslagen ben. Maar ik ben nog niet verslagen. Als ik die melkmachine kan krijgen, dan kan hij hier nog mijn melk krijgen, en dan kan ik doorgaan als ik thuis kom.'

Hij keek me ernstig aan. 'Ze zeggen dat de machine defect is.'

'Flauwe kul! Ze hebben hem gewoon weggestopt

omdat ze eerst willen zien wat de dokter zegt. En hij komt pas morgen om elf uur, dan heb ik drie hele voedingen gemist. Dan droog ik op.'

'Je windt je te veel op.'

'Ik wind me niet op. Ik zeg je dat er niets mankeert aan die machine.'

Toen hij weg was, maakte ik gebruik van een afwezigheid van Mrs. Birch en begon te huilen. Zelfs mijn eigen man was tegen me. Ze hadden hem geïndoctrineerd, de hoofdzuster en haar cohorte in de gang, ze gebruikten hem om hun plan uit te voeren, en dat was mij ertoe te brengen mijn baby niet te voeden. Dan zouden die hebberige teven hem eindelijk voor zichzelf hebben – en geen hinder meer. En er was niets, niets dat ik doen kon. Ik was gekluisterd aan een bed, en streed een eenzame strijd tegen de hele International Clinic. Ik moest het koel spelen, de mensen manipuleren, zonder dat ze er erg in hadden. Iedereen wist dat pas verloste moeders soms verminderd toerekeningsvatbaar zijn. Dat was hun gevaarlijkste wapen, dat mij aan hen over zou kunnen leveren. Met het toverwoord Postnatale Depressie zouden ze de hele kwestie opgelost kunnen verklaren.

Toen Mlle Pradel die avond mijn temperatuur opnam, bleek dat ik verhoging had.

Woede en hartstocht hadden mij koorts gegeven, maar de krokodilletasdraagster en haar trawanten zouden het wel eens toe kunnen schrijven aan een beginnend abces. Die koorts moest weg. Ik vroeg Mlle Pradel mij een tranquillizer te brengen. Ik nam die in en het licht ging uit.

Ik begon te denken aan mijn arme Spotted Wretch,

ver weg, aan het andere eind van de gang. Een van de brieven die mijn echtgenoot had meegebracht, was van een kennis op wie hij bijzonder gesteld was, een man van bij de tachtig. De geboorte van onze zoon had hem herinnerd aan zijn eigen enige zoon, die op de leeftijd van eenentwintig jaar was gesneuveld in een overbodige schermutseling, ondernomen een paar dagen voor het eind van de oorlog door een officier die zijn naam geciteerd wilde zien. De dood was rondom ons. Wat betekende de geboorte-explosie vergeleken bij de kolossale afstervingsexplosie die altijd, zonder aflaten, doorging? Ik begon opnieuw te huilen, geluidloos, om Mrs. Birch niet de gelegenheid te geven mij haar barmhartigheid uit te meten.

De dokter arriveerde de volgende ochtend om elf uur. Hij was de bekendste accoucheur in Frankrijk, doodop van colleges geven, verlossen, directeur zijn van de Maternity Ward van de International Clinic, en zorgen dat zijn naam in de society-kolommen kwam. Hij liep altijd op een draf; de kortheid van zijn visites werd alleen geëvenaard door die van zijn instructies. Hij keek op de temperatuurgrafiek, releveerde de aanwezigheid van een Fremdkörper in de vorm van de tranquillizer, gromde wat, en vloog weer weg, met de hoofdverpleegster en Miss Griggs ademloos in zijn kielzog.

Tien minuten later kwam de melkmachine. 'Hij is weer in orde!' riep Miss Griggs stralend.

Hongerig plaatste ik het trechtervormige glas over de tepel, schakelde de machine aan, en sloeg in extase het fijne draadje melk gade dat telkens te voorschijn spoot, in de maat met het feestelijke oempa-oempageluid van de pomp. Ik gaf elke borst een beurt van tien minuten en toen bevatte de fles een kleine honderd cc prima melk. Ik belde Miss Griggs en hield de fles triomfantelijk in de hoogte. Zij keek blij. *'Good for you!'* riep Mrs. Birch vanuit haar bed, waar zij bezig was haar dochter te voeden uit die onuitputtelijke uiers.

'Let erop dat míjn baby het krijgt,' riep ik Miss Griggs na terwijl zij naar de deur liep met het kostelijke vocht.

'Wees maar niet bang, liefje. U en Mrs. Birch zijn de enige zogende moeders op de hele afdeling. De anderen beginnen er niet aan. Bang voor hun figuur.'

O slang van een hoofdverpleegster, jouw aanmoediging, erger nog, jouw voorbeeld, heeft al die zuigende wichten beroofd van het drinken aan deze eerste en laatste fontein van vergetelheid.

De melkpomp had dadelijk de belangstelling van mijn echtgenoot. Speciaal het feit dat het eenvoudige mechanisme schuilging achter een dure, ingewikkelde en laboratoriuminstrumentachtige façade ontlokte hem veel commentaar, en hij stelde voor een concurrerend model op de markt te brengen, uitgevoerd in zo goed mogelijk uit plastic nagebootste mensenhuid, en de hoofden van bekende staatslieden voorstellend.

Gedurende de volgende dagen pompte het apparaat er dapper op los, en de lelijke baby dronk mijn melk *par machine interposée.* De beringde Erdmutter kwam me van tijd tot tijd moed inspreken. Ten slotte kwam de dag dat ik verlost werd van deze vrouwenwereld, waar wij aristocraten, de nieuwe moeders, in de kussens moesten zitten toekijken hoe onze bedienden de macht hadden als in een roman van Henry Green. Eindelijk wist ik mijn kostbare bundel aan hun klauwen te ontrukken. Met een gevoel van bevrijding legde ik mijn Gorgoon in zijn bed, in de kamer die ik voor hem in orde had gemaakt vóór de bevalling. Nu kon ik met hem doen wat mij goed leek. In deze vredige omgeving zou de vloed van mijn melkproduktie ongetwijfeld weer stijgen.

Maar ik kreeg alweer ongelijk. Ik hield het zogen een tijd vol maar een succes is het nooit geworden. De aanvullende fles werd groter en groter. Op een dag gaf ik het rustig op, geresigneerd, zonder strijd, want er was geen tegenstand. Mijn jeugd was voorbij, dat was duidelijk.

Aan de andere kant was het de baby, die mij troostte. Onder mijn verbaasde ogen begon hij te veranderen. Zijn neus nam redelijker proporties aan, zijn huid werd gaaf en glad, zijn ogen gingen wijd open, omlijst door prachtige lange oogharen. Mijn lelijke eend was een zwaan geworden.

De naam

'Oef,' zei Ellen. Ze steunde zichzelf met twee handen achter in de taille. 'Soms is het wel *heavy*.'

'Het wordt een geweldige knul,' zei Simon, 'zo'n machtige buik, daar komt een wereldknul uit.'

'Of een wereldmeid,' zei Ellen en ging voorzichtig op de rand van het bed zitten, vóór ze zich zou neervlijen.

'Iedereen, maar dan ook iedereen weet dat het een jongen wordt,' verkondigde Simon. Hij legde zijn cryptogram weg en ging weer goed overeind in bed zitten.

'Numero uno,' zei hij, de aftelling beginnend op zijn duim, 'de dokter.'

'Wacht even,' zei Ellen, 'daar kom ik.' Behoedzaam, zelfs met een zekere balletueuze élégance ondanks haar dikte, liet ze zich in de kussens glijden. 'Hèèè,' zuchtte ze. 'Waar waren we?'

'De dokter.'

'O ja, de dokter. Daar moet ik je iets van vertellen. Hij heeft een truc, heb ik gehoord. Geleerd van een ouwere collega, ook een huisarts. Je weet toch hoe het ging?'

'Jazeker,' zei Simon, 'het was van een verregaande integriteit en controleerbaarheid. Hij zei tegen jou: "Ellen, het wordt een jongen." En toen schreef hij het op in zijn agenda, op de dag dat je uitgerekend was. Ik

zie het hem nog zó doen: schrijfschrijf, Ellen Dahlhaus, een jongen.'

Ellen keek haar man van opzij met een hautain
glimlachje aan. 'Haha,' zei ze afgemeten, 'en toen
sloeg de dokter met een klap zijn agendaatje dicht en
stak het weg in zijn binnenzak.'

'Nou èn, is dat verboden?'

'Nee, maar heeft hij ons een blik gegund op het
geschrevene?'

Simon fronste zijn voorhoofd. Toen keek hij Ellen
weer aan: 'Wat bedoel je? Hij schreef toch op Ellen:
enzovoorts?'

'Ha, juist! En nu komt de truc. Hij zègt dat hij op-
schrijft: jongen. Maar hij schrijft op: meisje. Het resul-
taat is dat hij altijd gelijk heeft.'

Simon z'n mond viel open van bewondering. 'Oh,
ôôôh, de smiecht! Ik snap het. Als het een jongen is,
zegt hij: zie je wel, ik heb het gezegd. En als het een
meisje is, zegt hij óók: zie je wel?'

'En dan zegt het echtpaar: hoezo zie je wel?'

'En dan,' vulde Simon weer aan, 'zegt de goede
dokter: een meisje, ik heb het toen opgeschreven waar
jullie bij waren. Hij haalt zijn agenda tevoorschijn en
toont het opgeschrevene. Potztausend! roept iedereen
verbaasd.'

'Wie roept er nou *potztausend*?' vroeg Ellen.

'Nou ja,' zei Simon, 'of woorden van gelijke strek-
king, parbleu, jemig, christenezielen, gommelbuilen.'

'Je bent zo druk,' zei Ellen.

'En ik was nog niet eens uitgepraat,' zei Simon,
'numero uno de dokter valt af. Komt de volgende,
namelijk Clazien.'

'Dat is een sterk nummer,' gaf Ellen toe, 'Clazien is alwetend.'

'Dat is te ruim gesteld,' zei Simon, 'Clazien is helderziend, meer niet.'

'Is dat niet hetzelfde als alwetend?'

'Welnee, alwetend is dat je ook weet hoe de Atlantische mens eruit zag en hoe het kan dat het heelal oneindig is, zulke dingen.'

'O,' zei Ellen, ze nam een slok van haar warme anijsmelk en daarna een grote Belgische bonbon van Jamin.

'Normale zwangere vrouwen eten haring, muurkalk en zure bommen,' merkte Simon op.

'Die krijgen ook allemaal heel rare en stoute kinderen,' meende Ellen en koos nog een bonbon uit het doosje, ditmaal witte chocolade met een gouden sierslingertje erop. 'Ik krijg een zoet kind. Hè, wat stom, allemaal de goden verzoeken, tsjees, ik vind alles best, als het maar gezond is.'

'Ik ook,' zei Simon, 'als hij maar gezond is, intelligent, atletisch, wiskundig begaafd, taalkundig talentvol, streng maar rechtvaardig, lief, mooi, knap en kunstzinnig.'

'Politiek betrouwbaar?' probeerde Ellen.

'Zeker, stellig! En niet te vergeten sportief.'

Ze zaten een poosje stil naast elkaar.

Toen zei Ellen: 'Weet Clazien niet hoe de Atlantische mens eruit zag?'

'Nee,' zei Simon, 'ze meende halftransparant, maar ze wist het echt niet zeker. Ze zag het niet. Je hebt trouwens nog heel veel andere helder-vormen. Helderhorend bijvoorbeeld, dat iemand geluiden en stemmen hoort die anderen niet horen. Helderruikend... enfin, waar gáát het nou om.'

'Clazien ziet dat het een jongen wordt.'

'Dus dan is het zo,' zei Simon, 'het enige wat ik eraan toe kan voegen is dat het een wereldknul wordt.'

'Ssst,' deed Ellen bezwerend, 'jòngen, meer zeggen we niet. Maar hij moet wel een naam hebben.'

'Ik heb een keigoed idee voor de advertentie,' zei Simon. In de lucht lijnde hij tussen wijsvinger en duim de regels af:

'Simon en Ellen Dahlhaus-Bom
geven met vreugde kennis van
de geboorte van hun zoon

HOMPIE

Wij noemen hem:
Hendrikus Josephus Johannes Carl
Claus Ebenhard Iwan...'

Ellen lachte zo aanstekelijk dat Simon maar ophield en meelachte.

'Maar nou serieus,' zei Ellen tien minuten later, 'hoe gaat onze jongen heten.'

'Mannetje Prentenlijf,' stelde Simon voor.

Hij legde zijn cryptogrammenboekje weer weg en bukte naar de Curver unibox onder het tafeltje naast zijn bed waarin hij altijd allerlei boeken had. Hij rommelde en bracht het *Bargoens Woordenboek* tevoorschijn.

'Even zoeken,' zei hij, en bladerde snel door naar de M.

'Ah, hier.' Hij las voor: 'MANNETJE PRENTENLIJF, koosnaampje voor kinderen. – Prentenlijf was in het Zaans een lang stijf japonlijf, waarin men kinderen en vrouwen op vroegere (17e en 18e eeuwse) prenten ziet afgebeeld, maar ook iemand met een stijf corset werd achternageroepen: "Een, twee, drie, vier, vijf: prentenlijf!" Daarbij kan ook wel aan modeprenten gedacht zijn.'

Hij keek opzij: 'Luister je niet?'

Ellen lag met gesloten ogen in de kussens.

'Half,' zei ze, 'want wat moet ik ermee? Is immers volslagen nutteloze informatie?' Ze deed haar ogen open.

'Ik dacht Waldemar.'

'Hoezo?'

'Waldemar,' zei ze, gebarend met toneelmatig uitgestrekte arm en hand, 'Waldemar. Zo prachtig.'

'Wil je niet weten wat het betekent?'

'Moet dat dan?'

'Nou natuurlijk!' zei Simon en kwam weer flink overeind zitten. 'Je begrijpt toch wel dat wij allebei enorm diep-religieuze mensen geworden zijn...'

'Zijn wij dat?' vroeg Ellen, verbaasd.

'Ja jôh,' zei Simon met grote overtuiging, 'we zijn toch geen ongelovige honden? We geloven toch in het goddelijke in de mens en noem maar op?'

'Ja, dat wel,' zei Ellen.

'Nou dan! Daarom heet jij dus...' Hij rommelde weer in zijn unibox en kwam naar boven met het *Woordenboek van Voornamen* van Dr. J. van der Schaar.

Hij bladerde. 'Ummuh... Ellen, kan verkorting zijn van Elenora, zie aldaar. Ummuh... Elenora... in verband gebracht met Arabisch Ellinor "God is mijn licht" – ziedaar, voilà.'

'En Simon?'

'P, R, S... Sigrid, Silverius, Simon... Simon! Griek-se vorm van Hebreeuwse Simeon. Op de Griekse vorm kan de Griekse naam Simoon invloed gehad hebben, een afleiding van het Griekse simos "met een stompe neus" ... nou ja, wat denkt die Van der Schaar wel?'

Ellen streek met haar vinger langs zijn neus: 'Echt een grote neus heb je nou ook weer niet, Simontje!'

'Nou ja,' zei hij, 'Petrus heette eigenlijk Simon, dat weet een kind, dus... wat zei je ook weer: Waldemar?'

'Waldemar.'

Hij zocht het op. 'Tweestammige Germaanse naam, uit Wald – "heersen" – en mar – "beroemd" – dus: "de beroemde alleenheerser". Tsja, 't is niet gek, maar het wekt ook wel associaties met dictator, ti-ran...'

'Vind ik helemaal niet,' zei Ellen, 'Waldemar klinkt heel groots en wijs en mooi.'

'H'm. Maar ben je niet bang dat ons kind nooit zo genoemd zal worden? Dat ze Wally gaan zeggen, of Waldi, of Waldootje.'

'Ja,' zei Ellen, 'dat zit er wel in. Nou, zeg jij eens wat?'

'Curzio vind ik mooi,' zei Simon, 'naar Curzio Malaparte, de geweldige schrijver.'

'Ik vind Graham Greene ook een reuze-schrijver, maar daarom hoeft ons kind nog geen Graham te he-ten. Kun je niet iets intuïtiever kiezen?'

'Sebastiaan,' zei Simon, 'Floris Sebastiaan, dat vind ik heldhaftige namen.'

'Ja, maar zo heet de zoon van Ine Kuhr, die actrice, dat weet iedereen. Wat dacht je van Dimitri?'

115

'Da's zo Russisch.'

Hij neusde in het namenboek: 'Wat er allemaal bestáát... Adalberto, Baue, Dorre, Gradolf, Hasker, Isfried, Leopold... hé, Leopold, wat dacht je daarvan?'

'Zo Duits,' zei Ellen.

'Duits? Er waren toch Belgische koningen die zo heetten?'

'Ja, maar dat waren toch Van Saksen-Coburgen?'

'O ja. Nou, verder. Merward?'

'Ja, ik ben daar gek.'

'Riefke, Servatius ook wel Faas, Wachtel, Zenobius. Ben je niet benieuwd naar de X?'

'Ben benieuwd naar de X,' zei Ellen gelaten.

'Xenofon – "ik schitter in vreemde landen", leuk?'

'Ik kan niet meer,' gaapte Ellen, 'ik ga een mooie naam dromen. Engelen geven mij een naam door.'

'Zie je wel dat je tot in de diepste kern gelovig bent?'

'Truste,' zei Ellen en tuitte met gesloten ogen haar mond. Simon kuste haar en trok het licht uit.

'Wat, wat?' zei Simon verschrikt, met een schorre stem. Hij was wakker geschud door Ellen, ze had ook het licht aangetrokken.

'Parcifal heb ik gedroomd,' zei ze opgewonden, 'er kwam een ridder te paard voorbij, hij keek naar mij, trok aan de teugels, stond stil en zei: Parcifal.'

'Goed,' geeuwde Simon, 'Parcifal ter overweging.'

Hij trok het licht weer uit en viel meteen in slaap.

'Parcifal,' fluisterde Ellen.

'Nee, ik ben het met je eens,' zei ze de volgende dag,

'ze gaan hem natuurlijk Par noemen, en Peer, of Perry of Perry van de Kar, net als die sportzaak, nee, ik zal wel opnieuw dromen.'

'We kunnen misschien mooi allittereren,' zei Simon, 'dus bijvoorbeeld Diederik Dahlhaus.'

'Ja, maar dan géén Diederik. Dat vind ik zo'n naam voor een komisch onbeholpen figuur uit een Hollandse film.'

'Dennis, Donald, Dingeman, Diogenes Dahlhaus.'

'Ik weet het niet,' zei Ellen, 'hij zit er nog niet bij. Ik zoek een hele mooie, krachtige maar toch ook romantische naam.'

'Ik ook!' zei Simon. 'Wat dacht je, ik toch ook!'

Het leek wel of er geen ander onderwerp van gesprek meer voorhanden was. De naam! Hoe ging de jongen heten! De allitteratie hadden ze als eis alweer laten vallen, het ging om het juiste gevoel.

'Moeten we de vernoeming niet in aanmerking nemen?' vroeg Simon ineens, nogal schuchter. 'Het is gek dat we daar helemaal niet aan gedacht hebben, met al die nog levende ouders van ons.'

'Jeempie,' zei Ellen, ze nam een slok van haar warme anijsmelk met suiker, 'Leendert en Adriaan, haal uit je winst.'

'Maar dan kunnen we toch Leonard Arian doen, zoiets, en dan zeggen dat het door hun namen geïnspireerd is?'

'Flauwflauwflauw,' zei Ellen. 'Nee jôh, we noemen hem gewoon zoals wij vinden dat hij moet heten. We hebben toch geen ouders die jaren gaan zitten mokken als het kleinkind niet vernoemd is?'

'Nou nee, misschien mokken ze slechts een paar

maanden.'

'Mooi, krachtig en romantisch,' zei Ellen, gedecideerd. 'Daar gaat het om.'

'Hrodbern?' suggereerde Simon uit het voornamenboek.

'Rot op, Simon.'

Ineens kwamen de weeën.

'O God,' zei Ellen, 'het begint, we hebben nog geen naam.'

'Dondert niet,' zei Simon, 'we gaan het kind krijgen. O God, sta ons bij, Ellen krijgt een baby, wat moet ik doen? O ja, ik weet het weer, ik bel de dokter.'

De dingen volgden elkaar in roeswekkend tempo op.

Het water brak, de ontsluiting deed zich voor, arts en vroedvrouw loerden, bemoedigden, schakelden Simon in voor het vasthouden van de moederhand, er werd geperst, gezucht, gegild en geknepen en wham, daar knalde het kind naar buiten.

'Het is een jongen!' riep de vroedvrouw.

'Jaja, natuurlijk,' huilde Ellen, 'o wat een engel, wat een hompie, wat een schat!'

Simon stond er betraand en verbijsterd bij. Het grote wonder was geschied –ze hadden een zoon.

Maar hoe, hoe...?

Hij rende naar de telefoon om de gelukkige grootouders te bellen.

'Hoe gaat het kind heten?' vroeg Oma Ada toen ze bekomen was van de schrik en vreugdekreten en alles.

'Uh...' zei Simon, 'Parcifal? Uh... Donald? Ik weet het niet, ma!'

118

'Ik weet het ook niet,' zei Ellen later door haar gelukstranen heen, 'Alexander? Nimrod?'

'Ik moet het nu heus gaan aangeven,' zei Simon.

'Bel Clazien,' zei Ellen, 'wat je moet doen.'

'Natuurlijk!' riep Simon opgelucht.

'O, proficiat, geweldig!' riep Clazien door de telefoon met haar Brabantse accent. 'Wat? Naam? O, dat gaat vanzelf. Je gaat gewoon naar het gemeentehuis en dan komt het vanzelf.'

In de auto op weg naar de burgerlijke stand murmereerde Simon permanent namen, in de hoop dat een engel: 'Ho!' zou roepen bij de juiste: 'Grimbald, Armando, Faramundus, Laurens, Fergus...'

Niets of niemand stopte zijn opsomming, mompelend liep hij het gemeentehuis binnen.

'Gelukgewenst,' zei de ambtenaar, toen hij het nieuws vernomen had, stond op en gaf Simon een hand.

Hij noteerde de antwoorden die Simon gaf op zijn vragen, vulde netjes in, en toen hoorde Simon onontkoombaar De Vraag: 'En, meneer Dahlhaus, hoe gaat uw zoon heten?'

Een witte vlam sloeg door Simon heen, een hoge helderheid ontstond in zijn geest, alles verruimde zich, wolken ijlden terzij, een stralend licht scheen over Simon, de ambtenaar en het schrijfbureau, en Simon wist met een groot en alwijs weten de naam, en hij zei hem uit volle borst en duidelijk: 'Jan.'

Hankie Bauer

Lekker dichtbij

Het is donderdagavond. En daar is mijn jongste, de moeder in spe, aan de telefoon. 'Mam,' zegt ze, 'had jij dat nou ook toen je zwanger was, dat je zo móe was en dat je de héle dag wel kon slapen?'

Ik zeg van ja, dat ik me daar wel iets van kan herinneren, maar dat ik niet meer weet of ik dat erg vervelend vond.

Want dat weet ik oprecht niet meer. Ik weet alleen nog hoe goed ik me toen voelde, en met wat voor 'n heerlijk voldaan gevoel ik door de wereld stapte in die tijd. Maar mijn jongste vindt het kennelijk wèl erg vervelend dat ze vaak zo moe is.

'Het ìs ook best moeilijk,' zeg ik, 'zó ben je een onbezorgde jonge meid, een veulen in de wei. En zó ben je bezig moeder te worden, word je tonnerond en sleepvoetig...'

'Maar,' zeg ik sussend als ik haar aan de andere kant van de lijn zwaar hoor zuchten, 'het is maar tijdelijk, moet je denken.'

'Ja, nog zo'n vijf-en-een-halve-maand "tijdelijk",' zegt ze mokkend. 'Ach, welnee, mens! Dat kan over een paar weken alweer over zijn. Net als je misselijkheid, die is nu toch ook zo goed als over?' 'Ja, dat is zo,' zegt ze mat.

En dan komt het hoge woord eruit:

'Had jij er ook wel eens helemáál geen zin meer in, mam? Soms baal ik er zo ontzettend van, soms wìl ik het allemaal niet meer en dat vind ik zó erg...'

'Wàt wil je niet meer: het kind of het zwanger zijn?' vraag ik.

Ze denkt even na en zegt dan met ineens een heel andere stem: 'Je hebt gelijk, mam, ik wil van dat zwangere af zijn. Ik wil zo nu en dan wel weer eens mezèlf zijn.' En dàt, vul ik in gedachten aan, is helemaal niet erg noch erg vreemd.

In diezelfde gedachten ga ik dertig jaar terug, toen ìk mijn eerste kind verwachtte. Pas getrouwd, net geïmmigreerd, woonde ik toen in een dùrp in het noorden van Manitoba, Canada. De dichtstbijzijnde dokter woonde in Swan River, dertig mijl verderop. De dichtstbijzijnde moeder enkele duizenden mijlen verderop...

Opbellen om te vragen 'had jij dat nou ook, mam?' zou ik in die tijd in Nederland niet eens zo makkelijk hebben gedaan (telefoon hadden we niet, geld hadden we weinig en zo'n relatie met mijn moeder had ik niet), laat staan dat ik vanaf de prairie van Noord-Amerika naar het verre moederland belde. Het zal wel niemand verbazen dat ik me daar wel eens heel eenzaam heb gevoeld. Toch was ik met recht in blijde verwachting en – als ik me dat goed herinner tenminste – het was vooral die blijdschap die ik wilde delen. Juist met die moeder met wie ik 'zo'n relatie niet had'...

'Hallo, mevrouw, bennu daar nog?!' jodelt mijn jongste in m'n oor. 'Ja, natuurlijk ben ik er nog,' zeg ik. En denk erbij: en lekker dichtbij!

Adriaan Morriën

Gedroomd vaderschap

Toen ik zelf nog een kind was, dacht ik reeds aan het bezit van eigen kinderen. Het was een denken vol tegenstrijdigheden, omdat ik nog lang niet wilde trouwen. Ik was bang voor het huwelijk dat mij een beperking van mijn persoonlijke vrijheid leek. Pas toen ik getrouwd was, leerde ik dat het huwelijk bevrijdt van de angst voor het huwelijk. Ik wilde kinderen hebben, maar niet getrouwd zijn, een napoleontisch probleem. Ik had gelezen dat de Franse keizer het de vrouwen kwalijk nam haar nodig te hebben voor de verwekking van zijn nageslacht. Ik hield van meisjes en vrouwen, maar wilde ze niet altijd om mij heen hebben, zodat ik rekenschap zou moeten afleggen van mijn komen en gaan, mijn minste gevoelens, mijn eenzaamheid en melancholie, mijn toekomstverwachtingen waaraan zij geen deel hadden. Kinderbezit schept een medeplichtigheid die alleen door liefde of door een voortdurende aandacht voor elkaar verzoend kan worden.

Ik was dol op de verliefdheid, verslaafd aan de aanblik van meisjes, maar bang voor de liefde die een gewelddadige hartstocht is en die alles aan zich onderwerpt. Ik was jaloers op de vrouw. Voor het bezit van kinderen heeft zij de man slechts enkele ogenblikken nodig, een kort tussenspel voor het slapen gaan, een vluchtige verleiding, een ontmoeting in het donker.

Zonder dat hij het beseft, heeft hij zich geheel aan haar gegeven, ook al ziet hij haar nooit meer terug. In haar lichaam bewaart zij zijn geheim, de raadselachtige vezels van zijn karakter, kleine eigenaardigheden waardoor haar kinderen haar later aan hem zullen herinneren, een glimlach, een gladheid van de huid, blonde haren, een lang recht been. Het aandeel van de vader aan de geboorte van zijn kind leek mij miniem, iets waarover hij zich zou moeten schamen, ook al kon het niet anders. Ik wilde kinderen wekken uit niets, uit eigen aandrift en verlangen.

Een van de moeilijke dingen in de opvoeding is het om dochters duidelijk te maken waarom een vader nodig was voor haar geboorte. Alissa begreep heel goed dat Adrienne uit de buik van haar moeder kwam. Haar eerste opwelling, toen zij in de kliniek op kraamvisite ging, was zich ervan te overtuigen dat het lichaam van mijn vrouw weer slank geworden was. Zij sloeg de dekens op en constateerde, met een blik op de wieg van haar zusje, de merkwaardige verhuizing waarmee ieder leven begint. Maar van mijn aandeel in dat alles had zij geen duidelijke voorstelling en die heeft zij nog altijd niet, ook al begrijpt zij, omdat wij het haar zeggen, dat ik voor de geboorte van haarzelf zowel als van haar zusje onmisbaar ben geweest. Zij laat haar poppen uit haarzelf geboren worden, zonder mannelijke bemiddeling. Haar verliefdheden voor jongens uit de klas, voor conducteurs en kelners, die wij in onze woonstad en op onze reizen ontmoeten, zijn verliefdheden waarin belangrijke episoden uit het liefdesleven worden overgeslagen. Zij ziet zichzelf omringd door kinderen zoals zij ook een hond en een poes wil hebben.

Adrienne, die eraan twijfelt of zij reeds de leeftijd heeft bereikt waarop zij verliefd mag worden, verlangt naar het zelfbeschikkingsrecht van de moeder die zij in de toekomst hoopt te worden en dat zij nu eens met het beroep van buffetjuffrouw, dan weer met dat van winkelmeisje vereenzelvigt. Voor haar is kinderbezit een bewijs van volwassenheid. Zij wil iemand onder zich zien, kleiner dan zij, die tegen haar opkijkt en haar het gevoel geeft dat zij haar zusje, haar moeder, haar vader en haar vriendinnetjes heeft ingehaald. Voor haar is het leven een wedloop waarbij grote voeten en lange benen noodzakelijk zijn. Haar jeugd is een voorbereiding, een aanloop, een passage.

Voor mij was mijn jeugd een toestand waarvan ik geen afscheid wilde nemen. Ik wilde in haar verwijlen als een volwassene, in staat de dingen te doen die volwassenen deden, maar zonder de dwang van huishoudelijke verplichtingen. Jaloers op de vrouw vanwege haar grotere aandeel in de geboorte van het kind droomde ik van eigen kinderen die de eerste jeugdjaren reeds achter zich hadden, meisjes met lange blonde zijden haren en blauwe ogen, kleine prinsessen van mijn verlangen. Nu ik twee dochtertjes bezit, heb ik mij verzoend met haar geboorte, ook al blijf ik jaloers op de ervaringen van een moeder die voelt dat zich in haar lichaam ander leven beweegt dan het hare. Ik geloof nog altijd dat er geen ervaring, hoe verfijnd of heldhaftig ook, bestaat die het besef van de tweeledigheid van leven overtreft waarmee een moeder haar kind begroet, nog voordat het haar lichaam verlaten heeft.

BRONVERMELDING

Gertie Evenhuis – Brief aan mijn dochtertje
Uit: 24 manieren om in tranen uit te barsten –
Contact, 1981

Olaf J. de Landell – De bloemkool-blaam
Uit: Maneschijn over uw hart – De Boekerij, 1979

Monique Thijssen – In jouw toestand
Uit: Nieuwe kleine verhalen – Van Holkema &
Warendorf, 1976

Louis Frequin – Het kind
Uit: 'Volgende patiënt!' – De Lijster, 1981

Gaston Durnez – Echografie
Uit: De engel op het eiland – Manteau, 1983

Henri Knap – Vader worden
Uit: Bent u ook zo'n vader? – De Bezige Bij, z.j.

Jacky Koning – 'Kom kind, we gaan!'
Uit: Negen maanden samen – Michon b.v., 1987

Marjan Berk – Omaatje
Uit: Liefde en haat – De Arbeiderspers, 1982

Theo Capel – Waar zou ik hier kunnen bevallen?
Uit: Simpel, maar niet heus – Luitingh-Sijthoff, 1992

COLOFON

Bolle buiken werd gezet uit de Bembo.

Samenstelling: Nanda Jansen en Petra Waaijer
Tekening omslag: Cor Visser, Angler Design - Koog
aan de Zaan
Grafische verzorging: Ulrike Völckers

VERSCHENEN BIJ NOVELLA UITGEVERIJ

EEN MOEDER UIT DUIZENDEN
De mooiste verhalen over moeders
Een bundel ontroerende verhalen over alle herkenbare facetten van het moederschap
ISBN 90 6806 057 0
Winkelprijs: f 14,90/Bfr. 295

VADERSCHAP IS MEESTERSCHAP
De mooiste verhalen over vaders
Vader worden is een gunst, vader zijn een grote kunst. Voor alle vaders een bundel met de leukste verhalen over het vaderschap.
ISBN 90 6806 056 2
Winkelprijs: f 14,90/Bfr. 295

HUMMELTJES
De mooiste verhalen over kinderen
Kinderen, voor velen het heerlijkste bezit op aarde. Voor alle ouders en grootouders een bundel met de liefste verhalen.
ISBN 90 6806 088 0
Winkelprijs: f 14,90/Bfr. 295